Alfred de Musset

Lorenzaccio

Dossier et notes réalisés par
Olivier Bara

Lecture d'image par
Valérie Lagier

folioplus
classiques

Olivier Bara est agrégé de lettres modernes et docteur en études théâtrales de l'université de la Sorbonne-Nouvelle. À côté de ses études consacrées à la littérature romantique, il développe des recherches sur le théâtre et l'opéra au XIXe siècle. Chez Gallimard, il a publié une lecture accompagnée du *Père Goriot* de Balzac (collection «La bibliothèque Gallimard»).

Conservateur au musée de Grenoble puis au musée des Beaux-Arts de Rennes, **Valérie Lagier** a organisé de nombreuses expositions d'art moderne et contemporain. Elle a créé, à Rennes, un service éducatif très innovant, et assuré de nombreuses formations d'histoire de l'art pour les enseignants et les étudiants. Elle est l'auteur de plusieurs publications scientifiques et pédagogiques. Elle est actuellement adjointe à la directrice des Études de l'Institut national du Patrimoine à Paris.

Sommaire

Sommaire

Lorenzaccio

Lorenzaccio

Lorenzaccio

PERSONNAGES

ALEXANDRE DE MÉDICIS, *duc de Florence* [1].
LORENZO DE MÉDICIS (LORENZACCIO [2]) ⎫
CÔME DE MÉDICIS   ⎬ *ses cousins.*
LE CARDINAL CIBO.   ⎭
LE MARQUIS CIBO, *son frère.*
SIRE MAURICE, *chancelier des Huit* [3].
LE CARDINAL BACCIO VALORI, *commissaire apostolique* [4].
JULIEN SALVIATI.
PHILIPPE STROZZI.
PIERRE STROZZI ⎫
THOMAS STROZZI ⎬ *ses fils.*
LÉON STROZZI, *prieur de Capoue* [5] ⎭

---

1. Alexandre de Médicis a vingt-sept ans en 1537. Alors que les Florentins avaient chassé les Médicis du pouvoir en 1527 puis rétabli la constitution républicaine, il a été imposé comme duc de Florence par le pape Clément VII (Jules de Médicis) avec l'appui de l'empereur Charles Quint. Alexandre serait, selon la rumeur, fils de Clément VII.

2. Lorenzino de Médicis (1514-1548) a été chassé de Florence par la révolte contre les Médicis. Expulsé de Rome en 1534 pour avoir mutilé les statues de l'arc de Constantin, il est revenu à Florence. Il était surnommé Lorenzaccio : le suffixe «-accio» en italien est péjoratif tandis que le suffixe «-ino» est un diminutif.

3. Les Huit forment un des conseils du gouvernement florentin, exerçant le pouvoir judiciaire. Il juge les crimes politiques et de droit commun.

4. Émissaire du pape.

5. Responsable administratif au sein des chevaliers de l'ordre de Malte.

ROBERTO CORSINI, *provéditeur de la forteresse* [1].

PALLA RUCCELLAÏ ⎫
ALAMANNO SALLVIATI ⎬ *seigneurs républicains.*
FRANÇOIS PAZZI ⎭

BINDO ALTOVITI, *oncle de Lorenzo.*

VENTURI, *bourgeois.*

TEBALDEO FRECCIA, *peintre.*

SCORONCONCOLO, *spadassin* [2].

LES HUIT.

GIOMO LE HONGROIS, *écuyer du duc.*

MAFFIO, *bourgeois.*

DEUX DAMES DE LA COUR ET UN OFFICIER ALLEMAND.

UN ORFÈVRE, UN MARCHAND, DEUX PRÉCEPTEURS et
DEUX ENFANTS, PAGES, SOLDATS, MOINES, COURTISANS,
BANNIS, ÉCOLIERS, DOMESTIQUES, BOURGEOIS, etc.

MARIE SODERINI, *mère de Lorenzo.*

CATHERINE GINORI, *sa tante.*

LA MARQUISE CIBO.

LOUISE STROZZI.

---

1. Gouverneur de la garnison allemande imposée par Charles
Quint. Ses soldats font régner l'ordre à Florence depuis le rétablisse-
ment des Médicis en 1530.
2. Homme d'épée.

Acte premier

Scène I

*Un jardin. – Clair de lune; un pavillon dans
le fond, un autre sur le devant.
Entrent* LE DUC *et* LORENZO,
couverts de leurs manteaux;
GIOMO, *une lanterne à la main.*

LE DUC : Qu'elle se fasse attendre encore un quart d'heure,
et je m'en vais. Il fait un froid de tous les diables.

LORENZO : Patience, altesse, patience.

LE DUC : Elle devait sortir de chez sa mère à minuit; il est
minuit, et elle ne vient pourtant pas.

LORENZO : Si elle ne vient pas, dites que je suis un sot, et
que la vieille mère est une honnête femme.

LE DUC : Entrailles du pape ! avec tout cela, je suis volé d'un
millier de ducats[1] !

LORENZO : Nous n'avons avancé que moitié. Je réponds de
la petite. Deux grands yeux languissants, cela ne trompe
pas. Quoi de plus curieux pour le connaisseur que la
débauche à la mamelle ? Voir dans un enfant de quinze ans

---

1. Le ducat est une monnaie d'or qui vaut 10 à 12 francs-or.

la rouée[1] à venir; étudier, ensemencer, infiltrer paternellement le filon mystérieux du vice dans un conseil d'ami, dans une caresse au menton; — tout dire et ne rien dire, selon le caractère des parents; — habituer doucement l'imagination qui se développe à donner des corps à ses fantômes, à toucher ce qui l'effraye, à mépriser ce qui la protège! Cela va plus vite qu'on ne pense; le vrai mérite est de frapper juste. Et quel trésor que celle-ci! tout ce qui peut faire passer une nuit délicieuse à Votre Altesse! Tant de pudeur! Une jeune chatte qui veut bien des confitures, mais qui ne veut pas se salir la patte. Proprette comme une Flamande! La médiocrité bourgeoise en personne. D'ailleurs, fille de bonnes gens, à qui leur peu de fortune n'a pas permis une éducation solide; point de fond dans les principes, rien qu'un léger vernis; mais quel flot violent d'un fleuve magnifique sous cette couche de glace fragile qui craque à chaque pas! Jamais arbuste en fleur n'a promis de fruits plus rares, jamais je n'ai humé dans une atmosphère enfantine plus exquise odeur de courtisanerie.

LE DUC : Sacrebleu! je ne vois pas le signal. Il faut pourtant que j'aille au bal chez Nasi : c'est aujourd'hui qu'il marie sa fille.

GIOMO : Allons au pavillon, monseigneur. Puisqu'il ne s'agit que d'emporter une fille qui est à moitié payée, nous pouvons bien taper aux carreaux.

LE DUC : Viens par ici, le Hongrois a raison.

Ils s'éloignent. — Entre Maffio.

MAFFIO : Il me semblait dans mon rêve voir ma sœur traverser notre jardin, tenant une lanterne sourde, et couverte de pierreries. Je me suis éveillé en sursaut. Dieu sait

---

1. Débauchée, digne du supplice de la roue. Anachronisme de Musset : ce mot date du XVIIIᵉ siècle.

que ce n'est qu'une illusion, mais une illusion trop forte pour que le sommeil ne s'enfuie pas devant elle. Grâce au ciel, les fenêtres du pavillon où couche la petite sont fermées comme de coutume ; j'aperçois faiblement la lumière de sa lampe entre les feuilles de notre vieux figuier. Maintenant mes folles terreurs se dissipent ; les battements précipités de mon cœur font place à une douce tranquillité. Insensé ! mes yeux se remplissent de larmes, comme si ma pauvre sœur avait couru un véritable danger. — Qu'entends-je ? Qui remue là entre les branches ? *(La sœur de Maffio passe dans l'éloignement.)* Suis-je éveillé ? c'est le fantôme de ma sœur. Il tient une lanterne sourde, et un collier brillant étincelle sur sa poitrine aux rayons de la lune. Gabrielle ! Gabrielle ! où vas-tu ?

Rentrent Giomo et le duc.

GIOMO : Ce sera le bonhomme de frère pris de somnambulisme. — Lorenzo conduira votre belle au palais par la petite porte ; et quant à nous, qu'avons-nous à craindre ?

MAFFIO : Qui êtes-vous ? Holà ! arrêtez !

Il tire son épée.

GIOMO : Honnête rustre, nous sommes tes amis.

MAFFIO : Où est ma sœur ? que cherchez-vous ici ?

GIOMO : Ta sœur est dénichée, brave canaille. Ouvre la grille de ton jardin.

MAFFIO : Tire ton épée et défends-toi, assassin que tu es.

GIOMO *saute sur lui et le désarme* : Halte-là ! maître sot, pas si vite.

MAFFIO : Ô honte ! ô excès de misère ! S'il y a des lois à Florence, si quelque justice vit encore sur la terre, par ce qu'il y a de vrai et de sacré au monde, je me jetterai aux pieds du duc, et il vous fera pendre tous les deux.

GIOMO : Aux pieds du duc ?

MAFFIO : Oui, oui, je sais que les gredins de votre espèce égorgent impunément les familles. Mais que je meure, entendez-vous, je ne mourrai pas silencieux comme tant d'autres. Si le duc ne sait pas que sa ville est une forêt pleine de bandits, pleine d'empoisonneurs et de filles déshonorées, en voilà un qui le lui dira. Ah! massacre! ah! fer et sang! j'obtiendrai justice de vous!

GIOMO, *l'épée à la main* : Faut-il frapper, Altesse?

LE DUC : Allons donc! frapper ce pauvre homme! Va te recoucher, mon ami; nous t'enverrons demain quelques ducats.

Il sort.

MAFFIO : C'est Alexandre de Médicis!

GIOMO : Lui-même, mon brave rustre. Ne te vante pas de sa visite si tu tiens à tes oreilles.

Il sort.

Scène 2

Une rue. – Le point du jour.
Plusieurs masques[1] *sortent d'une maison illuminée;*
un MARCHAND DE SOIERIES *et un* ORFÈVRE
ouvrent leurs boutiques.

LE MARCHAND DE SOIERIES : Hé, hé, père Mondella, voilà bien du vent pour mes étoffes.

Il étale ses pièces de soie.

L'ORFÈVRE, *bâillant* : C'est à se casser la tête. Au diable leur noce! je n'ai pas fermé l'œil de la nuit.

LE MARCHAND : Ni ma femme non plus, voisin; la chère

_____
1. Personnes déguisées.

âme s'est tournée et retournée comme une anguille. Ah!
dame! quand on est jeune, on ne s'endort pas au bruit des
violons.

L'ORFÈVRE: Jeune! jeune! cela vous plaît à dire. On n'est
pas jeune avec une barbe comme celle-là; et cependant
Dieu sait si leur damnée de musique me donne envie de
danser.

Deux écoliers[1] passent.

PREMIER ÉCOLIER: Rien n'est plus amusant. On se glisse
contre la porte au milieu des soldats, et on les voit des-
cendre avec leurs habits de toutes les couleurs. Tiens, voilà
la maison des Nasi. *(Il souffle dans ses doigts.)* Mon porte-
feuille[2] me glace les mains.

DEUXIÈME ÉCOLIER: Et on nous laissera approcher?

PREMIER ÉCOLIER: En vertu de quoi est-ce qu'on nous en
empêcherait? Nous sommes citoyens de Florence. Regarde
tout ce monde autour de la porte; en voilà des chevaux,
des pages et des livrées! Tout cela va et vient, il n'y a qu'à
s'y connaître un peu; je suis capable de nommer toutes les
personnes d'importance; on observe bien tous les costumes, et le soir on dit à l'atelier: J'ai une terrible envie de
dormir, j'ai passé la nuit au bal chez le prince Aldobrandini,
chez le comte Salviati; le prince était habillé de telle ou telle
façon, la princesse de telle autre, et on ne ment pas. Viens,
prends ma cape par derrière.

Ils se placent contre la porte de la maison.

L'ORFÈVRE: Entendez-vous les petits badauds? Je voudrais
qu'un de mes apprentis fît un pareil métier.

LE MARCHAND: Bon, bon, père Mondella, où le plaisir ne
coûte rien, la jeunesse n'a rien à perdre. Tous ces grands

---

1. Étudiants.
2. Carton à dessin.

yeux étonnés de ces petits polissons me réjouissent le cœur. — Voilà comme j'étais, humant l'air et cherchant les nouvelles. Il paraît que la Nasi est une belle gaillarde, et que le Martelli est un heureux garçon. C'est une famille bien florentine, celle-là! Quelle tournure ont tous ces grands seigneurs! J'avoue que ces fêtes-là me font plaisir, à moi. On est dans son lit bien tranquille, avec un coin de ses rideaux retroussé; on regarde de temps en temps les lumières qui vont et viennent dans le palais; on attrape un petit air de danse sans rien payer, et on se dit: Hé, hé, ce sont mes étoffes qui dansent, mes belles étoffes du bon Dieu, sur le cher corps de tous ces braves et loyaux seigneurs.

L'ORFÈVRE: Il en danse plus d'une qui n'est pas payée, voisin; ce sont celles-là qu'on arrose de vin et qu'on frotte sur les murailles avec le moins de regrets. Que les grands seigneurs s'amusent, c'est tout simple — ils sont nés pour cela. Mais il y a des amusements de plusieurs sortes, entendez-vous?

LE MARCHAND: Oui, oui, comme la danse, le cheval, le jeu de paume[1] et tant d'autres. Qu'entendez-vous vous-même, père Mondella?

L'ORFÈVRE: Cela suffit — je me comprends. — C'est-à-dire que les murailles de tous ces palais-là n'ont jamais mieux prouvé leur solidité. Il leur fallait moins de force pour défendre les aïeux de l'eau du ciel, qu'il ne leur en faut pour soutenir les fils quand ils ont trop pris de leur vin.

LE MARCHAND: Un verre de vin est de bon conseil, père Mondella. Entrez donc dans ma boutique, que je vous montre une pièce de velours.

L'ORFÈVRE: Oui, de bon conseil et de bonne mine, voisin; un bon verre de vin vieux a une bonne mine au bout d'un

---

1. Sport qui consistait à se renvoyer de la main une balle de part et d'autre d'un filet. Ancêtre du tennis.

bras qui a sué pour le gagner; on le soulève gaiement d'un petit coup, et il s'en va donner du courage au cœur de l'honnête homme qui travaille pour sa famille. Mais ce sont des tonneaux sans vergogne, que tous ces godelureaux[1] de la Cour. À qui fait-on plaisir en s'abrutissant jusqu'à la bête féroce? À personne, pas même à soi, et à Dieu encore moins.

LE MARCHAND: Le carnaval a été rude, il faut l'avouer; et leur maudit ballon m'a gâté de la marchandise pour une cinquantaine de florins[2]. Dieu merci! les Strozzi l'ont payée.

L'ORFÈVRE: Les Strozzi! Que le ciel confonde ceux qui ont osé porter la main sur leur neveu! Le plus brave homme de Florence, c'est Philippe Strozzi.

LE MARCHAND: Cela n'empêche pas Pierre Strozzi d'avoir traîné son maudit ballon sur ma boutique, et de m'avoir fait trois grandes taches dans une aune[3] de velours brodé. À propos, père Mondella, nous verrons-nous à Montolivet?

L'ORFÈVRE: Ce n'est pas mon métier de suivre les foires; j'irai cependant à Montolivet[4] par piété. C'est un saint pèlerinage, voisin, et qui remet tous les péchés.

LE MARCHAND: Et qui est tout à fait vénérable, voisin, et qui fait gagner les marchands plus que tous les autres jours de l'année. C'est plaisir de voir ces bonnes dames, sortant de la messe, manier, examiner toutes les étoffes. Que Dieu conserve son altesse! La Cour est une belle chose.

L'ORFÈVRE: La Cour! le peuple la porte sur le dos, voyez-

---

1. Jeunes hommes élégants et frivoles.

2. «C'était l'usage au carnaval de traîner dans les rues un énorme ballon qui renversait les passants et les devantures des boutiques. Pierre Strozzi avait été arrêté pour ce fait» (note de Musset).

«Florin» : ancienne monnaie de Florence frappée de la fleur de lys.

3. Ancienne mesure de longueur (1,20 m).

4. Confusion de Musset. Il s'agit du pèlerinage à l'église San Miniato, desservie par les moines de Montolivet.

vous ! Florence était encore (il n'y a pas longtemps de cela)
une bonne maison bien bâtie ; tous ces grands palais, qui
sont les logements de nos grandes familles, en étaient les
colonnes. Il n'y en avait pas une, de toutes ces colonnes, qui
dépassât les autres d'un pouce ; elles soutenaient à elles
toutes une vieille voûte bien cimentée, et nous nous pro-
menions là-dessous sans crainte d'une pierre sur la tête.
Mais il y a de par le monde deux architectes malavisés qui
ont gâté l'affaire, je vous le dis en confidence, c'est le pape
et l'empereur Charles[1]. L'empereur Charles a commencé
par entrer par une assez bonne brèche dans la susdite maison. Après quoi, ils ont jugé à propos de prendre une des
colonnes dont je vous parle, à savoir celle de la famille des
Médicis, et d'en faire un clocher, lequel clocher a poussé
comme un champignon de malheur dans l'espace d'une nuit.
Et puis, savez-vous, voisin ! comme l'édifice branlait au vent,
attendu qu'il avait la tête trop lourde et une jambe de
moins, on a remplacé le pilier devenu clocher par un gros
pâté informe fait de boue et de crachat, et on a appelé cela
la citadelle. Les Allemands[2] se sont installés dans ce maudit
trou comme des rats dans un fromage ; et il est bon de
savoir que tout en jouant aux dés et en buvant leur vin
aigrelet, ils ont l'œil sur nous autres. Les familles florentines
ont beau crier, le peuple et les marchands ont beau dire, les
Médicis gouvernent au moyen de leur garnison ; ils nous
dévorent comme une excroissance vénéneuse dévore un
estomac malade ; c'est en vertu des hallebardes[3] qui se pro-
mènent sur la plate-forme, qu'un bâtard[4], une moitié de

----

1. Clément VII et Charles Quint, couronné par le pape à Bologne
en 1530. Paul III succède à Clément VII en 1534.
2. Soldats allemands imposés par Charles Quint pour faire régner
l'ordre à Florence.
3. L'arme, portée par les soldats allemands, était nouvelle pour les
Florentins de l'époque.
4. La mère d'Alexandre était une fille de salle mauresque. Elle

Médicis, un butor[1] que le ciel avait fait pour être garçon boucher ou valet de charrue, couche dans le lit de nos filles, boit nos bouteilles, casse nos vitres ; et encore le paye-t-on pour cela.

LE MARCHAND : Peste ! comme vous y allez ! Vous avez l'air de savoir tout cela par cœur ; il ne ferait pas bon dire cela dans toutes les oreilles, voisin Mondella.

L'ORFÈVRE : Et quand on me bannirait comme tant d'autres ! On vit à Rome[2] aussi bien qu'ici. Que le diable emporte la noce, ceux qui y dansent et ceux qui la font !

Il rentre. Le marchand se mêle aux curieux. Passe un bourgeois avec sa femme.

LA FEMME : Guillaume Martelli est un bel homme, et riche. C'est un bonheur pour Nicolo Nasi d'avoir un gendre comme celui-là. Tiens, le bal dure encore. — Regarde donc toutes ces lumières.

LE BOURGEOIS : Et nous, notre fille, quand la marierons-nous ?

LA FEMME : Comme tout est illuminé ! danser encore à l'heure qu'il est, c'est là une jolie fête. — On dit que le duc y est.

LE BOURGEOIS : Faire du jour la nuit et de la nuit le jour, c'est un moyen commode de ne pas voir les honnêtes gens. Une belle invention, ma foi, que des hallebardes à la porte d'une noce ! Que le Bon Dieu protège la ville ! Il en sort tous les jours de nouveau, de ces chiens d'Allemands, de leur damnée forteresse.

LA FEMME : Regarde donc le joli masque. Ah ! la belle robe !

---

aurait été empoisonnée sur ordre de son fils, désireux d'effacer la trace de sa basse origine.

1. Personnage grossier.
2. Depuis le début du pontificat de Paul III, les bannis de Florence se réfugiaient à Rome.

Hélas! tout cela coûte très cher, et nous sommes bien pauvres à la maison.

Ils sortent.

UN SOLDAT, *au marchand*: Gare, canaille! laisse passer les chevaux.

LE MARCHAND: Canaille toi-même, Allemand du diable!

Le soldat le frappe de sa pique.

LE MARCHAND, *se retirant*: Voilà comme on suit la capitulation[1]! Ces gredins-là maltraitent les citoyens.

Il rentre chez lui.

L'ÉCOLIER, *à son camarade*: Vois-tu celui-là qui ôte son masque? C'est Palla Ruccellaï[2]. Un fier luron! Ce petit-là, à côté de lui, c'est Thomas Strozzi, Masaccio, comme on dit.

UN PAGE, *criant*: Le cheval de Son Altesse!

LE SECOND ÉCOLIER: Allons-nous-en, voilà le duc qui sort.

LE PREMIER ÉCOLIER: Crois-tu qu'il va te manger?

La foule augmente à la porte.

L'ÉCOLIER: Celui-là, c'est Nicolini; celui-là, c'est le provéditeur.

Le duc sort, vêtu en religieuse, avec Julien Salviati, habillé de même, tous deux masqués.

LE DUC, *montant à cheval*: Viens-tu, Julien?

SALVIATI: Non, Altesse, pas encore.

Il lui parle à l'oreille.

LE DUC: Bien, bien, ferme!

---

1. En 1530, la ville de Florence a signé sa capitulation avec le commandant des troupes impériales représentant Charles Quint. Un article garantissait la liberté des citoyens, mais il fut aussitôt ignoré.
2. Grande famille républicaine de Florence.

SALVIATI : Elle est belle comme un démon. — Laissez-moi faire ! Si je peux me débarrasser de ma femme !...

Il rentre dans le bal.

LE DUC : Tu es gris, Salviati. Le diable m'emporte, tu vas de travers.

Il part avec sa suite.

L'ÉCOLIER : Maintenant que voilà le duc parti, il n'y en a pas pour longtemps.

Les masques sortent de tous côtés.

LE SECOND ÉCOLIER : Rose, vert, bleu, j'en ai plein les yeux ; la tête me tourne.

UN BOURGEOIS : Il paraît que le souper a duré longtemps. En voilà deux qui ne peuvent plus se tenir.

Le provéditeur monte à cheval ; une bouteille cassée lui tombe sur l'épaule.

LE PROVÉDITEUR : Eh, ventrebleu ! quel est l'assommeur, ici ?

UN MASQUE : Eh ! ne le voyez-vous pas, seigneur Corsini ? Tenez, regardez à la fenêtre ; c'est Lorenzo, avec sa robe de nonne.

LE PROVÉDITEUR : Lorenzaccio, le diable soit de toi ! Tu as blessé mon cheval. *(La fenêtre se ferme.)* Peste soit de l'ivrogne et de ses farces silencieuses ! Un gredin qui n'a pas souri trois fois dans sa vie, et qui passe le temps à des espiègleries d'écolier en vacance !

Il part. — Louise Strozzi sort de la maison, accompagnée de Julien Salviati ; il lui tient l'étrier. Elle monte à cheval ; un écuyer et une gouvernante la suivent.

JULIEN : La jolie jambe, chère fille ! Tu es un rayon de soleil, et tu as brûlé la moelle de mes os.

LOUISE: Seigneur, ce n'est pas là le langage d'un cavalier[1].

JULIEN: Quels yeux tu as, mon cher cœur! Quelle belle épaule à essuyer, tout humide et si fraîche! Que faut-il te donner pour être ta cameriste[2] cette nuit? Le joli pied à déchausser.

LOUISE: Lâche mon pied, Salviati.

JULIEN: Non, par le corps de Bacchus[3]! jusqu'à ce que tu m'aies dit quand nous coucherons ensemble.

>   *Louise frappe son cheval et part au galop.*

UN MASQUE, *à Julien*: La petite Strozzi s'en va rouge comme la braise — vous l'avez fâchée, Salviati.

JULIEN: Baste[4]! colère de jeune fille et pluie du matin…

>   *Il sort.*

Scène 3

Chez le marquis Cibo.
LE MARQUIS, *en habit de voyage,*
LA MARQUISE, ASCANIO, LE CARDINAL CIBO, *assis.*

LE MARQUIS, *embrassant son fils*: Je voudrais pouvoir t'emmener, petit, toi et ta grande épée qui te traîne entre les jambes. Prends patience; Massa[5] n'est pas bien loin, et je te rapporterai un bon cadeau.

---

1. Gentilhomme.
2. Femme de chambre.
3. Traduction littérale d'un juron italien. Bacchus: dieu romain du vin et de l'ivresse.
4. Interjection traduite de l'italien «Basta!» («Il suffit!») et marquant l'indifférence ou le dédain.
5. Domaine hérité par Laurent Cibo grâce à son mariage. Massa se situe au nord de la Toscane.

LA MARQUISE : Adieu, Laurent ; revenez, revenez !

LE CARDINAL : Marquise, voilà des pleurs qui sont de trop. Ne dirait-on pas que mon frère part pour la Palestine ? Il ne court pas grand danger dans ses terres, je crois.

LE MARQUIS : Mon frère, ne dites pas de mal de ces belles larmes.

Il embrasse sa femme.

LE CARDINAL : Je voudrais seulement que l'honnêteté n'eût pas cette apparence.

LA MARQUISE : L'honnêteté n'a-t-elle point de larmes, monsieur le cardinal ? Sont-elles toutes au repentir ou à la crainte ?

LE MARQUIS : Non, par le ciel ! car les meilleures sont à l'amour. N'essuyez pas celles-ci sur mon visage, le vent s'en chargera en route ; qu'elles se sèchent lentement ! Eh bien, ma chère, vous ne me dites rien pour vos favoris ? N'emporterai-je pas, comme de coutume, quelque belle harangue sentimentale à faire de votre part aux roches et aux cascades de mon vieux patrimoine ?

LA MARQUISE : Ah ! mes pauvres cascatelles[1] !

LE MARQUIS : C'est la vérité, ma chère âme, elles sont toutes tristes sans vous. *(Plus bas.)* Elles ont été joyeuses autrefois, n'est-il pas vrai, Ricciarda ?

LA MARQUISE : Emmenez-moi !

LE MARQUIS : Je le ferais si j'étais fou, et je le suis presque, avec ma vieille mine de soldat. N'en parlons plus — ce sera l'affaire d'une semaine. Que ma chère Ricciarda voie ses jardins quand ils sont tranquilles et solitaires ; les pieds boueux de mes fermiers ne laisseront pas de trace dans ses allées chéries. C'est à moi de compter mes vieux troncs d'arbres qui me rappellent ton père Albéric, et tous les brins

---

1. Petites cascades (de l'italien « cascatella »).

d'herbe de mes bois; les métayers et leurs bœufs, tout cela me regarde. À la première fleur que je verrai pousser, je mets tout à la porte, et je vous emmène alors.

LA MARQUISE: La première fleur de notre belle pelouse m'est toujours chère. L'hiver est si long! Il me semble toujours que ces pauvres petites ne reviendront jamais.

ASCANIO: Quel cheval as-tu, mon père, pour t'en aller?

LE MARQUIS: Viens avec moi dans la cour, tu le verras.

> *Il sort. — La marquise reste seule avec le cardinal.*
> *— Un silence.*

LE CARDINAL: N'est-ce pas aujourd'hui que vous m'avez demandé d'entendre votre confession, marquise?

LA MARQUISE: Dispensez-m'en, cardinal. Ce sera pour ce soir, si Votre Éminence est libre, ou demain, comme elle voudra. — Ce moment-ci n'est pas à moi.

> *Elle se met à la fenêtre et fait un signe d'adieu à son mari.*

LE CARDINAL: Si les regrets étaient permis à un fidèle serviteur de Dieu, j'envierais le sort de mon frère. — Un si court voyage, si simple, si tranquille! — une visite à une de ses terres qui n'est qu'à quelques pas d'ici! — une absence d'une semaine — et tant de tristesse, une si douce tristesse, veux-je dire, à son départ! Heureux celui qui sait se faire aimer ainsi après sept années de mariage! N'est-ce pas sept années, marquise?

LA MARQUISE: Oui, cardinal; mon fils a six ans.

LE CARDINAL: Étiez-vous hier à la noce des Nasi?

LA MARQUISE: Oui, j'y étais.

LE CARDINAL: Et le duc en religieuse?

LA MARQUISE: Pourquoi le duc en religieuse?

LE CARDINAL: On m'avait dit qu'il avait pris ce costume; il se peut qu'on m'ait trompé.

LA MARQUISE : Il l'avait en effet. Ah ! Malaspina[1], nous sommes dans un triste temps pour toutes les choses saintes !

LE CARDINAL : On peut respecter les choses saintes, et, dans un jour de folie, prendre le costume de certains couvents, sans aucune intention hostile à la sainte Église catholique.

LA MARQUISE : L'exemple est à craindre, et non l'intention. Je ne suis pas comme vous ; cela m'a révoltée. Il est vrai que je ne sais pas bien ce qui se peut et ce qui ne se peut pas, selon vos règles mystérieuses. Dieu sait où elles mènent. Ceux qui mettent les mots sur leur enclume, et qui les tordent avec un marteau et une lime, ne réfléchissent pas toujours que ces mots représentent des pensées, et ces pensées des actions.

LE CARDINAL : Bon ! bon ! le duc est jeune, marquise, et gageons que cet habit coquet des nonnes lui allait à ravir.

LA MARQUISE : On ne peut mieux ; il n'y manquait que quelques gouttes du sang de son cousin, Hippolyte de Médicis[2].

LE CARDINAL : Et le bonnet de la Liberté[3], n'est-il pas vrai, petite sœur ? Quelle haine pour ce pauvre duc !

LA MARQUISE : Et vous, son bras droit, cela vous est égal que le duc de Florence soit le préfet de Charles-Quint, le commissaire civil du pape, comme Baccio[4] est son commissaire religieux ? Cela vous est égal, à vous, frère de mon Laurent, que notre soleil, à nous, promène sur la citadelle

---

1. Confusion de Musset, ce nom est celui de la marquise, Ricciarda Malaspina, et non celui de la famille du cardinal.
2. Ce cardinal fut empoisonné en 1535, sans doute sur ordre de son cousin Alexandre.
3. Dans l'Antiquité, les esclaves affranchis arboraient un bonnet conique, le « pileus ». Le bonnet phrygien devient le symbole de la République à la fin du XVIIIe siècle.
4. Le cardinal Baccio Valori.

des ombres allemandes ? que César[1] parle ici dans toutes les bouches ? que la débauche serve d'entremetteuse à l'esclavage, et secoue ses grelots sur les sanglots du peuple ? Ah ! le clergé sonnerait au besoin toutes ses cloches pour en étouffer le bruit et pour réveiller l'aigle impérial, s'il s'endormait sur nos pauvres toits.

Elle sort.

LE CARDINAL, *seul, soulève la tapisserie et appelle à voix basse* : Agnolo ! *(Entre un page.)* Quoi de nouveau aujourd'hui ?

AGNOLO : Cette lettre, monseigneur.

LE CARDINAL : Donne-la-moi.

AGNOLO : Hélas ! Éminence, c'est un péché.

LE CARDINAL : Rien n'est un péché quand on obéit à un prêtre de l'Église romaine.

Agnolo remet la lettre.

LE CARDINAL : Cela est comique d'entendre les fureurs de cette pauvre marquise, et de la voir courir à un rendez-vous d'amour avec le cher tyran, toute baignée de larmes républicaines. *(Il ouvre la lettre et lit.)*
« Ou vous serez à moi, ou vous aurez fait mon malheur, le vôtre, et celui de nos deux maisons. »
Le style du duc est laconique, mais il ne manque pas d'énergie. Que la marquise soit convaincue ou non, voilà le difficile à savoir. Deux mois de cour presque assidue, c'est beaucoup pour Alexandre ; ce doit être assez pour Ricciarda Cibo. *(Il rend la lettre au page.)* Remets cela chez ta maîtresse ; tu es toujours muet, n'est-ce pas ? Compte sur moi.

Il lui donne sa main à baiser et sort.

---

1. Ici, l'empereur Charles Quint.

Scène 4

Une cour du palais du duc.
LE DUC ALEXANDRE, *sur une terrasse;*
des pages exercent des chevaux dans la cour.
Entrent VALORI *et* SIRE MAURICE.

LE DUC, *à Valori*: Votre Éminence a-t-elle reçu ce matin des nouvelles de la cour de Rome?

VALORI: Paul III[1] envoie mille bénédictions à Votre Altesse, et fait les vœux les plus ardents pour sa prospérité.

LE DUC: Rien que des vœux, Valori?

VALORI: Sa Sainteté craint que le duc ne se crée de nouveaux dangers par trop d'indulgence. Le peuple est mal habitué à la domination absolue; et César, à son dernier voyage, en a dit autant, je crois, à Votre Altesse.

LE DUC: Voilà, pardieu, un beau cheval, sire Maurice! Eh! quelle croupe de diable!

SIRE MAURICE: Superbe, Altesse.

LE DUC: Ainsi, monsieur le commissaire apostolique, il y a encore quelques mauvaises branches à élaguer. César et le pape ont fait de moi un roi; mais, par Bacchus, ils m'ont mis dans la main une espèce de sceptre qui sent la hache d'une lieue. Allons, voyons, Valori, qu'est-ce que c'est?

VALORI: Je suis un prêtre, Altesse; si les paroles que mon devoir me force à vous rapporter fidèlement doivent être interprétées d'une manière aussi sévère, mon cœur me défend d'y ajouter un mot.

LE DUC: Oui, oui, je vous connais pour un brave. Vous êtes, pardieu, le seul prêtre honnête homme que j'aie vu de ma vie.

---

1. Paul III (Alexandre Farnèse) n'aimait pas la famille des Médicis.

VALORI : Monseigneur, l'honnêteté ne se perd ni ne se gagne sous aucun habit, et parmi les hommes il y a plus de bons que de méchants.

LE DUC : Ainsi donc, point d'explications ?

SIRE MAURICE : Voulez-vous que je parle, monseigneur ? tout est facile à expliquer.

LE DUC : Eh bien ?

SIRE MAURICE : Les désordres de la Cour irritent le pape.

LE DUC : Que dis-tu là, toi ?

SIRE MAURICE : J'ai dit les désordres de la Cour, Altesse ; les actions du duc n'ont d'autre juge que lui-même. C'est Lorenzo de Médicis que le pape réclame comme transfuge de sa justice.

LE DUC : De sa justice ? Il n'a jamais offensé de pape, à ma connaissance, que Clément VII, feu mon cousin, qui, à cette heure, est en enfer.

SIRE MAURICE : Clément VII a laissé sortir de ses États le libertin qui, un jour d'ivresse, avait décapité les statues de l'arc de Constantin[1]. Paul III ne saurait pardonner au modèle titré de la débauche florentine.

LE DUC : Ah ! parbleu, Alexandre Farnèse est un plaisant garçon ! Si la débauche l'effarouche, que diable fait-il de son bâtard, le cher Pierre Farnèse, qui traite si joliment l'évêque de Fano[2] ? Cette mutilation revient toujours sur l'eau, à propos de ce pauvre Renzo. Moi, je trouve cela drôle, d'avoir coupé la tête à tous ces hommes de pierre. Je protège les arts comme un autre, et j'ai chez moi les premiers artistes de l'Italie ; mais je n'entends rien au respect du pape

---

1. Les huit statues de rois barbares, restaurées en 1498, ont été décapitées par Lorenzo en 1534.
2. D'après la *Storia fiorentina* de Varchi, le bâtard de Paul III, Pierre Farnèse, aurait violé et tué impunément ce jeune évêque. L'événement date en fait de 1538.

pour ces statues qu'il excommunierait demain, si elles étaient en chair et en os.

SIRE MAURICE : Lorenzo est un athée ; il se moque de tout. Si le gouvernement de Votre Altesse n'est pas entouré d'un profond respect, il ne saurait être solide. Le peuple appelle Lorenzo, Lorenzaccio ; on sait qu'il dirige vos plaisirs, et cela suffit.

LE DUC : Paix ! tu oublies que Lorenzo de Médicis est cousin d'Alexandre. *(Entre le cardinal Cibo.)* Cardinal, écoutez un peu ces messieurs qui disent que le pape est scandalisé des désordres de ce pauvre Renzo, et qui prétendent que cela fait tort à mon gouvernement.

LE CARDINAL : Messire Francesco Molza vient de débiter à l'Académie romaine une harangue en latin contre le mutilateur de l'arc de Constantin.

LE DUC : Allons donc, vous me mettriez en colère ! Renzo, un homme à craindre ! le plus fieffé poltron ! une femmelette, l'ombre d'un ruffian énervé[1] ! un rêveur qui marche nuit et jour sans épée, de peur d'en apercevoir l'ombre à son côté ! d'ailleurs un philosophe, un gratteur de papier, un méchant poète qui ne sait seulement pas faire un sonnet ! Non, non, je n'ai pas encore peur des ombres ! Eh ! corps de Bacchus ! que me font les discours latins et les quolibets de ma canaille ! J'aime Lorenzo, moi, et, par la mort de Dieu ! il restera ici.

LE CARDINAL : Si je craignais cet homme, ce ne serait pas pour votre Cour, ni pour Florence, mais pour vous, Duc.

LE DUC : Plaisantez-vous, cardinal, et voulez-vous que je vous dise la vérité ? *(Il lui parle bas.)* Tout ce que je sais de ces damnés bannis, de tous ces républicains entêtés qui complotent autour de moi, c'est par Lorenzo que je le sais. Il est glissant comme une anguille ; il se fourre partout et

---

1. « Ruffian » désigne un souteneur, un maquereau ; « Énervé » : sans nerf, sans énergie.

me dit tout. N'a-t-il pas trouvé moyen d'établir une correspondance avec tous ces Strozzi de l'enfer? Oui, certes,
c'est mon entremetteur; mais croyez que son entremise, si
elle nuit à quelqu'un, ne me nuira pas. Tenez! *(Lorenzo
paraît au fond d'une galerie basse.)* Regardez-moi ce petit
corps maigre, ce lendemain d'orgie ambulant. Regardez-moi
ces yeux plombés, ces mains fluettes et maladives, à peine
assez fermes pour soutenir un éventail, ce visage morne,
qui sourit quelquefois, mais qui n'a pas la force de rire.
C'est là un homme à craindre? Allons, allons, vous vous
moquez de lui. Hé! Renzo, viens donc ici; voilà sire Maurice qui te cherche dispute.

LORENZO *monte l'escalier de la terrasse* : Bonjour, messieurs
les amis de mon cousin.

LE DUC : Lorenzo, écoute ici. Voilà une heure que nous parlons de toi. Sais-tu la nouvelle? Mon ami, on t'excommunie
en latin et sire Maurice t'appelle un homme dangereux, le
cardinal aussi; quant au bon Valori, il est trop honnête
homme pour prononcer ton nom.

LORENZO : Pour qui dangereux, Éminence? pour les filles
de joie, ou pour les saints du paradis?

LE CARDINAL : Les chiens de cour peuvent être pris de la
rage comme les autres chiens.

LORENZO : Une insulte de prêtre doit se faire en latin.

SIRE MAURICE : Il s'en fait en toscan, auxquelles on peut
répondre.

LORENZO : Sire Maurice, je ne vous voyais pas; excusez-
moi, j'avais le soleil dans les yeux; mais vous avez un bon
visage, et votre habit me paraît tout neuf.

SIRE MAURICE : Comme votre esprit; je l'ai fait faire d'un
vieux pourpoint de mon grand-père[1].

---

1. Sire Maurice insinue que l'esprit de Lorenzo est usé. Le grand-
père de ce dernier, Laurent le Populaire, était un esprit brillant.

LORENZO : Cousin, quand vous aurez assez de quelque conquête des faubourgs, envoyez-la donc chez sire Maurice. Il est malsain de vivre sans femme, pour un homme qui a, comme lui, le cou court et les mains velues.

SIRE MAURICE : Celui qui se croit le droit de plaisanter doit savoir se défendre. À votre place, je prendrais une épée.

LORENZO : Si l'on vous a dit que j'étais un soldat, c'est une erreur ; je suis un pauvre amant de la science.

SIRE MAURICE : Votre esprit est une épée acérée, mais flexible. C'est une arme trop vile ; chacun fait usage des siennes.

Il tire son épée.

VALORI : Devant le duc, l'épée nue !

LE DUC, *riant* : Laissez faire, laissez faire. Allons, Renzo, je veux te servir de témoin — qu'on lui donne une épée !

LORENZO : Monseigneur, que dites-vous là ?

LE DUC : Eh bien ! ta gaieté s'évanouit si vite ? Tu trembles, cousin ? Fi donc ! tu fais honte au nom des Médicis. Je ne suis qu'un bâtard, et je le porterais mieux que toi, qui es légitime[1] ? Une épée, une épée ! un Médicis ne se laisse point provoquer ainsi. Pages, montez ici ; toute la Cour le verra, et je voudrais que Florence entière y fût.

LORENZO : Son Altesse se rit de moi.

LE DUC : J'ai ri tout à l'heure, mais maintenant je rougis de honte. Une épée !

Il prend l'épée d'un page et la présente à Lorenzo.

VALORI : Monseigneur, c'est pousser trop loin les choses. Une épée tirée en présence de Votre Altesse est un crime punissable dans l'intérieur du palais.

---

1. Lorenzo est légitime mais il descend de la branche cadette des Médicis. Alexandre est bâtard, mais issu de la branche aînée de la famille.

LE DUC : Qui parle ici, quand je parle ?

VALORI : Votre Altesse ne peut avoir eu d'autre dessein que celui de s'égayer un instant, et sire Maurice lui-même n'a point agi dans une autre pensée.

LE DUC : Et vous ne voyez pas que je plaisante encore ? Qui diable pense ici à une affaire sérieuse ? Regardez Renzo, je vous en prie ; ses genoux tremblent, il serait devenu pâle, s'il pouvait le devenir. Quelle contenance, juste Dieu ! je crois qu'il va tomber.

> *Lorenzo chancelle ; il s'appuie sur la balustrade et glisse à terre tout d'un coup.*

LE DUC, *riant aux éclats* : Quand je vous le disais ! personne ne le sait mieux que moi ; la seule vue d'une épée le fait trouver mal. Allons, chère Lorenzetta, fais-toi emporter chez ta mère.

> *Les pages relèvent Lorenzo.*

SIRE MAURICE : Double poltron ! fils de catin !

LE DUC : Silence, sire Maurice, pesez vos paroles ; c'est moi qui vous le dis maintenant. Pas de ces mots-là devant moi.

VALORI : Pauvre jeune homme !

> *Sire Maurice et Valori sortent.*

LE CARDINAL, *resté seul avec le duc* : Vous croyez à cela, monseigneur ?

LE DUC : Je voudrais bien savoir comment je n'y croirais pas.

LE CARDINAL : Hum ! c'est bien fort.

LE DUC : C'est justement pour cela que j'y crois. Vous figurez-vous qu'un Médicis se déshonore publiquement, par partie de plaisir ? D'ailleurs, ce n'est pas la première fois que cela lui arrive ; jamais il n'a pu voir une épée.

LE CARDINAL : C'est bien fort, c'est bien fort !

> *Ils sortent.*

Scène 5

Devant l'église de Saint-Miniato, à Montolivet.
La foule sort de l'église.

UNE FEMME, *à sa voisine* : Retournez-vous ce soir à Florence ?

LA VOISINE : Je ne reste jamais plus d'une heure ici, et je n'y viens jamais qu'un seul vendredi[1] ; je ne suis pas assez riche pour m'arrêter à la foire. Ce n'est pour moi qu'une affaire de dévotion, et que cela suffise pour mon salut, c'est tout ce qu'il me faut.

UNE DAME DE LA COUR, *à une autre* : Comme il a bien prêché ! c'est le confesseur de ma fille. *(Elle s'approche d'une boutique.)* Blanc et or, cela fait bien le soir ; mais le jour, le moyen d'être propre avec cela !

> *Le marchand et l'orfèvre devant leurs boutiques,*
> *avec quelques cavaliers.*

L'ORFÈVRE : La citadelle ! voilà ce que le peuple ne souffrira jamais. Voir tout d'un coup s'élever sur la ville cette nouvelle tour de Babel, au milieu du plus maudit baragouin[2] ! les Allemands ne pousseront jamais à Florence, et pour les y greffer, il faudra un vigoureux lien.

LE MARCHAND : Voyez, mesdames ; que Vos Seigneuries acceptent un tabouret sous mon auvent.

---

1. « Qu'un seul vendredi » : « On allait à Montolivet tous les vendredis de certains mois ; c'était à Florence ce que Longchamp était autrefois à Paris. Les marchands y trouvaient l'occasion d'une foire et y transportaient leurs boutiques » (note de Musset). L'abbaye de Longchamp, dans le bois de Boulogne, était un lieu de pèlerinage pendant la Semaine Sainte. Des restaurants et des guinguettes étaient installés à proximité. La promenade de Longchamp resta ensuite à la mode.
2. Langage inintelligible, barbare.

UN CAVALIER : Tu es du vieux sang florentin, père Mondella ; la haine de la tyrannie fait encore trembler tes doigts sur tes ciselures précieuses, au fond de ton cabinet de travail.

L'ORFÈVRE : C'est vrai, Excellence. Si j'étais un grand artiste, j'aimerais les princes, parce qu'eux seuls peuvent faire entreprendre de grands travaux. Les grands artistes n'ont pas de patrie. Moi, je fais des saints ciboires[1] et des poignées d'épée.

UN AUTRE CAVALIER : À propos d'artiste, ne voyez-vous pas dans ce petit cabaret ce grand gaillard qui gesticule devant des badauds ? Il frappe son verre sur la table, si je ne me trompe, c'est ce hâbleur de Cellini[2].

LE PREMIER CAVALIER : Allons-y donc, et entrons, avec un verre de vin dans la tête, il est curieux à entendre, et probablement quelque bonne histoire est en train.

Ils sortent. — Deux bourgeois s'assoient.

PREMIER BOURGEOIS : Il y a eu une émeute à Florence ?

DEUXIÈME BOURGEOIS : Presque rien. — Quelques pauvres jeunes gens ont été tués sur le Vieux-Marché.

PREMIER BOURGEOIS : Quelle pitié pour les familles !

DEUXIÈME BOURGEOIS : Voilà des malheurs inévitables. Que voulez-vous que fasse la jeunesse sous un gouvernement comme le nôtre ? On vient crier à son de trompe que César est à Bologne, et les badauds répètent : « César est à Bologne », en clignant des yeux d'un air d'importance, sans réfléchir à ce qu'on y fait. Le jour suivant, ils sont plus heureux encore d'apprendre et de répéter : « Le pape est à

---

1. Vases sacrés conservant les hosties destinées à la communion.
2. Benvenuto Cellini (1500-1571), orfèvre et sculpteur florentin. Musset s'est inspiré de ses *Mémoires*, traduits en 1822. Dans les plans de *Lorenzaccio*, Cellini figurait comme personnage de la pièce.

Bologne avec César[1].» Que s'ensuit-il? Une réjouissance publique. Ils n'en voient pas davantage; et puis un beau matin ils se réveillent tout endormis des fumées du vin impérial, et ils voient une figure sinistre à la grande fenêtre du palais des Pazzi[2]. Ils demandent quel est ce personnage, et on leur répond que c'est leur roi[3]. Le pape et l'empereur sont accouchés d'un bâtard qui a droit de vie et de mort sur nos enfants, et qui ne pourrait pas nommer sa mère.

L'ORFÈVRE, *s'approchant*: Vous parlez en patriote, ami; je vous conseille de prendre garde à ce flandrin[4].

Passe un officier allemand.

L'OFFICIER: Ôtez-vous de là, messieurs; des dames veulent s'asseoir.

Deux dames de la Cour entrent et s'assoient.

PREMIÈRE DAME: Cela est de Venise?

LE MARCHAND: Oui, magnifique Seigneurie; vous en lève-rai-je quelques aunes?

PREMIÈRE DAME: Si tu veux. J'ai cru voir passer Julien Salviati.

L'OFFICIER: Il va et vient à la porte de l'église; c'est un galant.

DEUXIÈME DAME: C'est un insolent. Montrez-moi des bas de soie.

L'OFFICIER: Il n'y en aura pas d'assez petits pour vous.

PREMIÈRE DAME: Laissez donc, vous ne savez que dire. Puisque vous voyez Julien, allez lui dire que j'ai à lui parler.

L'OFFICIER: J'y vais et je le ramène.

Il sort.

---

1. Clément VII et Charles Quint se rencontrèrent à Bologne en 1529 et 1532.
2. Famille rivale des Médicis. Francesco Pazzi fomenta un complot contre eux en 1478. Seul Julien de Médicis mourut. Les conjurés furent massacrés par Laurent le Magnifique.
3. Le duc Alexandre.
4. Grand garçon, d'allure gauche. Dadais.

PREMIÈRE DAME : Il est bête à faire plaisir, ton officier ; que peux-tu faire de cela ?

DEUXIÈME DAME : Tu sauras qu'il n'y a rien de mieux que cet homme-là.

Elles s'éloignent. — Entre le prieur de Capoue.

LE PRIEUR : Donnez-moi un verre de limonade, brave homme.

Il s'assoit.

UN DES BOURGEOIS : Voilà le prieur de Capoue ; c'est là un patriote !

Les deux bourgeois se rassoient.

LE PRIEUR : Vous venez de l'église, messieurs ? que dites-vous du sermon ?

LE BOURGEOIS : Il était beau, seigneur Prieur.

DEUXIÈME BOURGEOIS, *à l'orfèvre* : Cette noblesse des Strozzi est chère au peuple, parce qu'elle n'est pas fière. N'est-il pas agréable de voir un grand seigneur adresser librement la parole à ses voisins d'une manière affable ? Tout cela fait plus qu'on ne pense.

LE PRIEUR : S'il faut parler franchement, j'ai trouvé le sermon trop beau. J'ai prêché quelquefois[1], et je n'ai jamais tiré grande gloire du tremblement des vitres. Mais une petite larme sur la joue d'un brave homme m'a toujours été d'un grand prix.

Entre Salviati.

SALVIATI : On m'a dit qu'il y avait ici des femmes qui me demandaient tout à l'heure. Mais je ne vois de robe ici que la vôtre, Prieur. Est-ce que je me trompe ?

LE MARCHAND : Excellence, on ne vous a pas trompé. Elles

---

1. Erreur de Musset. Léon Strozzi, prieur de Capoue, n'exerce qu'une fonction administrative.

se sont éloignées; mais je pense qu'elles vont revenir. Voilà dix aunes d'étoffe et quatre paires de bas pour elles.

SALVIATI, *s'asseyant*: Voilà une jolie femme qui passe. — Où diable l'ai-je donc vue? — Ah! parbleu, c'est dans mon lit.

LE PRIEUR, *au bourgeois*: Je crois avoir vu votre signature sur une lettre adressée au duc.

LE BOURGEOIS: Je le dis tout haut. C'est la supplique adressée par les bannis.

LE PRIEUR: En avez-vous dans votre famille?

LE BOURGEOIS: Deux, Excellence, mon père et mon oncle. Il n'y a plus que moi d'homme à la maison.

LE DEUXIÈME BOURGEOIS, *à l'orfèvre*: Comme ce Salviati a une méchante langue!

L'ORFÈVRE: Cela n'est pas étonnant; un homme à moitié ruiné, vivant des générosités de ces Médicis, et marié comme il l'est à une femme déshonorée partout! Il voudrait qu'on dît de toutes les femmes possibles ce qu'on dit de la sienne.

SALVIATI: N'est-ce pas Louise Strozzi qui passe sur ce tertre?

LE MARCHAND: Elle-même, Seigneurie. Peu de dames de notre noblesse me sont inconnues. Si je ne me trompe, elle donne la main à sa sœur cadette.

SALVIATI: J'ai rencontré cette Louise la nuit dernière au bal des Nasi. Elle a, ma foi, une jolie jambe, et nous devons coucher ensemble au premier jour.

LE PRIEUR, *se retournant*: Comment l'entendez-vous?

SALVIATI: Cela est clair, elle me l'a dit. Je lui tenais l'étrier, ne pensant guère à malice; je ne sais par quelle distraction je lui pris la jambe, et voilà comme tout est venu.

LE PRIEUR: Julien, je ne sais pas si tu sais que c'est de ma sœur que tu parles.

SALVIATI: Je le sais très bien; toutes les femmes sont faites pour coucher avec les hommes, et ta sœur peut bien coucher avec moi.

LE PRIEUR *se lève*: Vous dois-je quelque chose, brave homme?

Il jette une pièce de monnaie sur la table, et sort.

SALVIATI: J'aime beaucoup ce brave prieur, à qui un propos sur sa sœur a fait oublier le reste de son argent. Ne dirait-on pas que toute la vertu de Florence s'est réfugiée chez ces Strozzi? Le voilà qui se retourne. Écarquille les yeux tant que tu voudras, tu ne me feras pas peur.

Scène 6

MARIE SODERINI, CATHERINE
Le bord de l'Arno[1]

CATHERINE: Le soleil commence à baisser. De larges bandes de pourpre traversent le feuillage, et la grenouille fait sonner sous les roseaux sa petite cloche de cristal. C'est une singulière chose que toutes les harmonies du soir avec le bruit lointain de cette ville.

MARIE: Il est temps de rentrer; noue ton voile autour de ton cou.

CATHERINE: Pas encore, à moins que vous n'ayez froid. Regardez, ma mère chérie[2]; que le ciel est beau! que tout cela est vaste et tranquille! comme Dieu est partout! Mais vous baissez la tête; vous êtes inquiète depuis ce matin.

---

1. Le fleuve qui traverse Florence.
2. «Catherine est belle-sœur de Marie; elle lui donne le nom de *mère* parce qu'il y a entre elles une différence d'âge très grande: Catherine n'a guère que vingt-deux ans» (note de Musset). Catherine est en réalité la sœur de Marie.

MARIE: Inquiète, non, mais affligée. N'as-tu pas entendu répéter cette fatale histoire de Lorenzo? Le voilà la fable de Florence.

CATHERINE: Ô ma mère! la lâcheté n'est point un crime, le courage n'est pas une vertu; pourquoi la faiblesse serait-elle blâmable? Répondre des battements de son cœur est un triste privilège. Et pourquoi cet enfant n'aurait-il pas le droit que nous avons toutes, nous autres femmes? Une femme qui n'a peur de rien n'est pas aimable, dit-on.

MARIE: Aimerais-tu un homme qui a peur? Tu rougis, Catherine; Lorenzo est ton neveu, mais figure-toi qu'il s'appelle de tout autre nom, qu'en penserais-tu? Quelle femme voudrait s'appuyer sur son bras pour monter à cheval? quel homme lui serrerait la main?

CATHERINE: Cela est triste, et cependant ce n'est pas de cela que je le plains. Son cœur n'est peut-être pas celui d'un Médicis; mais, hélas! c'est encore moins celui d'un honnête homme.

MARIE: N'en parlons pas, Catherine — il est assez cruel pour une mère de ne pouvoir parler de son fils.

CATHERINE: Ah! cette Florence! c'est là qu'on l'a perdu! N'ai-je pas vu briller quelquefois dans ses yeux le feu d'une noble ambition? Sa jeunesse n'a-t-elle pas été l'aurore d'un soleil levant? Et souvent encore aujourd'hui il me semble qu'un éclair rapide... Je me dis malgré moi que tout n'est pas mort en lui.

MARIE: Ah! tout cela est un abîme! Tant de facilité, un si doux amour de la solitude! Ce ne sera jamais un guerrier que mon Renzo, disais-je en le voyant rentrer de son collège, avec ses gros livres sous le bras; mais un saint amour de la vérité brillait sur ses lèvres et dans ses yeux noirs; il lui fallait s'inquiéter de tout, dire sans cesse: «Celui-là est pauvre, celui-là est ruiné; comment faire?» Et cette admiration pour les grands hommes de son Plutarque[1]! Catherine, Catherine, que de fois je l'ai baisé au front en pensant au père de la patrie[2]!

CATHERINE: Ne vous affligez pas.

MARIE: Je dis que je ne veux pas parler de lui, et j'en parle sans cesse. Il y a de certaines choses, vois-tu, les mères ne s'en taisent que dans le silence éternel. Que mon fils eût été un débauché vulgaire, que le sang des Soderini eût été pâle dans cette faible goutte tombée de mes veines, je ne me désespérerais pas; mais j'ai espéré et j'ai eu raison de le faire. Ah! Catherine, il n'est même plus beau; comme une fumée malfaisante, la souillure de son cœur lui est montée au visage. Le sourire, ce doux épanouissement qui rend la jeunesse semblable aux fleurs, s'est enfui de ses joues couleur de soufre, pour y laisser grommeler une ironie ignoble et le mépris de tout.

CATHERINE: Il est encore beau quelquefois dans sa mélancolie étrange.

MARIE: Sa naissance ne l'appelait-elle pas au trône? N'aurait-il pas pu y faire monter un jour avec lui la science d'un docteur, la plus belle jeunesse du monde, et couronner d'un diadème d'or tous mes songes chéris? Ne devais-je pas m'attendre à cela? Ah! Cattina, pour dormir tranquille, il faut n'avoir jamais fait certains rêves. Cela est trop cruel d'avoir vécu dans un palais de fées, où murmuraient les cantiques des anges, de s'y être endormie, bercée par son fils, et de se réveiller dans une masure ensanglantée, pleine de débris d'orgie et de restes humains, dans les bras d'un spectre hideux qui vous tue en vous appelant encore du nom de mère.

CATHERINE: Des ombres silencieuses commencent à mar-

---

1. Moraliste grec (vers 46/49-vers 125), auteur des *Vies parallèles* ou *Vies des hommes illustres*.

2. Surnom de Côme l'Ancien (1389-1464), arrière-grand-oncle de Lorenzo, premier grand Médicis.

cher sur la route. Rentrons, Marie, tous ces bannis me font peur.

MARIE : Pauvres gens ! ils ne doivent que faire pitié ! Ah ! ne puis-je voir un seul objet qu'il ne m'entre une épine dans le cœur ? Ne puis-je plus ouvrir les yeux ? Hélas ! ma Cattina, ceci est encore l'ouvrage de Lorenzo. Tous ces pauvres bourgeois ont eu confiance en lui ; il n'en est pas un parmi tous ces pères de familles chassés de leur patrie, que mon fils n'ait trahi. Leurs lettres, signées de leurs noms, sont montrées au duc. C'est ainsi qu'il fait tourner à un infâme usage jusqu'à la glorieuse mémoire de ses aïeux. Les républicains s'adressent à lui comme à l'antique rejeton de leur protecteur ; sa maison leur est ouverte, les Strozzi eux-mêmes y viennent. Pauvre Philippe ! il y aura une triste fin pour tes cheveux gris ! Ah ! ne puis-je voir une fille sans pudeur, un malheureux privé de sa famille, sans que tout cela ne me crie : Tu es la mère de nos malheurs ! Quand serai-je là ?

Elle frappe la terre.

CATHERINE : Ma pauvre mère, vos larmes se gagnent.

Elles s'éloignent. — Le soleil est couché. — Un groupe de bannis se forme au milieu d'un champ.

UN DES BANNIS : Où allez-vous ?

UN AUTRE : À Pise ; et vous ?

LE PREMIER : À Rome.

UN AUTRE : Et moi à Venise ; en voilà deux qui vont à Ferrare. Que deviendrons-nous ainsi éloignés les uns des autres ?

UN QUATRIÈME : Adieu, voisin, à des temps meilleurs.

Il s'en va.

LE SECOND : Adieu ; pour nous, nous pouvons aller ensemble jusqu'à la croix de la Vierge.

Il sort avec un autre. — Arrive Maffio.

LE PREMIER BANNI : C'est toi, Maffio ? par quel hasard es-tu ici ?

MAFFIO : Je suis des vôtres. Vous saurez que le duc a enlevé ma sœur. J'ai tiré l'épée ; une espèce de tigre avec des membres de fer s'est jeté à mon cou et m'a désarmé. Après quoi j'ai reçu l'ordre de sortir de la ville, et une bourse à moitié pleine de ducats.

LE SECOND BANNI : Et ta sœur, où est-elle ?

MAFFIO : On me l'a montrée ce soir sortant du spectacle dans une robe comme n'en a pas l'impératrice ; que Dieu lui pardonne ! Une vieille l'accompagnait, qui a laissé trois de ses dents à la sortie. Jamais je n'ai donné de ma vie un coup de poing qui m'ait fait ce plaisir-là.

LE TROISIÈME BANNI : Qu'ils crèvent tous dans leur fange crapuleuse, et nous mourrons contents.

LE QUATRIÈME : Philippe Strozzi nous écrira à Venise ; quelque jour nous serons tous étonnés de trouver une armée à nos ordres.

LE TROISIÈME : Que Philippe vive longtemps ! tant qu'il y aura un cheveu sur sa tête, la liberté de l'Italie n'est pas morte.

Une partie du groupe se détache ; tous les bannis s'embrassent.

UNE VOIX : À des temps meilleurs.

UNE AUTRE : À des temps meilleurs.

Deux bannis montent sur une plate-forme d'où l'on découvre la ville.

LE PREMIER : Adieu, Florence, peste de l'Italie ; adieu, mère stérile, qui n'as plus de lait pour tes enfants.

LE SECOND : Adieu, Florence, la bâtarde, spectre hideux de l'antique Florence ; adieu, fange sans nom.

TOUS LES BANNIS: Adieu, Florence! maudites soient les mamelles de tes femmes! maudits soient tes sanglots! maudites les prières de tes églises, le pain de tes blés, l'air de tes rues! Malédiction sur la dernière goutte de ton sang corrompu!

Acte deuxième

Scène I

Chez les Strozzi. PHILIPPE, *dans son cabinet.*

Dix citoyens bannis dans ce quartier-ci seulement! le vieux
Galeazzo et le petit Maffio bannis, sa sœur corrompue,
devenue une fille publique en une nuit! Pauvre petite!
Quand l'éducation des basses classes sera-t-elle assez forte
pour empêcher les petites filles de rire lorsque leurs
parents pleurent! La corruption est-elle donc une loi de
nature? Ce qu'on appelle la vertu, est-ce donc l'habit du
dimanche qu'on met pour aller à la messe? Le reste de la
semaine, on est à la croisée[1], et, tout en tricotant, on
regarde les jeunes gens passer. Pauvre humanité! quel nom
portes-tu donc? celui de ta race, ou celui de ton baptême[2]?
Et nous autres vieux rêveurs, quelle tache originelle avons-
nous lavée sur la face humaine depuis quatre ou cinq mille
ans que nous jaunissons avec nos livres? Qu'il t'est facile à
toi, dans le silence du cabinet, de tracer d'une main légère
une ligne mince et pure comme un cheveu sur ce papier

---

1. Fenêtre.
2. La race humaine est souillée par le péché originel mais l'humanité est purifiée en chacun par le baptême chrétien.

blanc! qu'il t'est facile de bâtir des palais et des villes avec
ce petit compas et un peu d'encre! Mais l'architecte qui a
dans son pupitre des milliers de plans admirables ne peut
soulever de terre le premier pavé de son édifice, quand il
vient se mettre à l'ouvrage avec son dos voûté et ses idées
obstinées. Que le bonheur des hommes ne soit qu'un rêve,
cela est pourtant dur; que le mal soit irrévocable, éternel,
impossible à changer… non! Pourquoi le philosophe qui travaille pour tous regarde-t-il autour de lui? Voilà le tort. Le
moindre insecte qui passe devant ses yeux lui cache le soleil.
Allons-y donc plus hardiment! la république, il nous faut ce
mot-là. Et quand ce ne serait qu'un mot, c'est quelque chose,
puisque les peuples se lèvent quand il traverse l'air… Ah!
bonjour, Léon.

Entre le prieur de Capoue.

LE PRIEUR : Je viens de la foire de Montolivet.

PHILIPPE : Était-ce beau? Te voilà aussi, Pierre? Assieds-toi
donc; j'ai à te parler.

Entre Pierre Strozzi.

LE PRIEUR : C'était très beau, et je me suis assez amusé, sauf
certaine contrariété un peu trop forte que j'ai quelque
peine à digérer.

PIERRE : Bah! qu'est-ce donc?

LE PRIEUR : Figurez-vous que j'étais entré dans une boutique
pour prendre un verre de limonade… Mais non, cela est
inutile… je suis un sot de m'en souvenir.

PHILIPPE : Que diable as-tu sur le cœur? tu parles comme
une âme en peine.

LE PRIEUR : Ce n'est rien, un méchant propos, rien de plus.
Il n'y a aucune importance à attacher à tout cela.

PIERRE : Un propos? sur qui? sur toi?

LE PRIEUR : Non pas sur moi précisément. Je me soucierais
bien d'un propos sur moi.

PIERRE : Sur qui donc ? Allons, parle, si tu veux.

LE PRIEUR : J'ai tort ; on ne se souvient pas de ces choses-là quand on sait la différence d'un honnête homme à un Salviati.

PIERRE : Salviati ? Qu'a dit cette canaille ?

LE PRIEUR : C'est un misérable, tu as raison. Qu'importe ce qu'il peut dire ! Un homme sans pudeur, un valet de cour qui, à ce qu'on raconte, a pour femme la plus grande dévergondée ! Allons, voilà qui est fait, je n'y penserai pas davantage.

PIERRE : Penses-y et parle, Léon ; c'est-à-dire que cela me démange de lui couper les oreilles. De qui a-t-il médit ? De nous ? de mon père ? Ah ! sang du Christ, je ne l'aime guère, ce Salviati. Il faut que je sache cela, entends-tu ?

LE PRIEUR : Si tu y tiens, je te le dirai. Il s'est exprimé devant moi, dans une boutique, d'une manière vraiment offensante sur le compte de notre sœur.

PIERRE : Ô mon Dieu ! Dans quels termes ? Allons, parle donc !

LE PRIEUR : Dans les termes les plus grossiers.

PIERRE : Diable de prêtre que tu es ! tu me vois hors de moi d'impatience, et tu cherches tes mots ! Dis les choses comme elles sont, parbleu ! un mot est un mot ; il n'y a pas de bon Dieu qui tienne.

PHILIPPE : Pierre, Pierre ! tu manques à ton frère[1].

LE PRIEUR : Il a dit qu'il coucherait avec elle, voilà son mot, et qu'elle le lui avait promis.

PIERRE : Qu'elle couch... Ah ! mort de mort, de mille morts ! Quelle heure est-il ?

PHILIPPE : Où vas-tu ? Allons, es-tu fait de salpêtre[2] ? Qu'as-tu à faire de cette épée ? tu en as une au côté.

---

1. Tu manques d'égards à son endroit, tu ne le respectes pas.
2. Par son tempérament emporté, Pierre est assimilé au salpêtre, poudre explosive.

PIERRE: Je n'ai rien à faire; allons dîner, le dîner est servi.

Ils sortent.

Scène 2

Le portail d'une église.
Entrent LORENZO *et* VALORI.

VALORI: Comment se fait-il que le duc n'y vienne pas? Ah! monsieur, quelle satisfaction pour un chrétien que ces pompes magnifiques de l'Église romaine! Quel homme pourrait y être insensible? L'artiste ne trouve-t-il pas là le paradis de son cœur? Le guerrier, le prêtre et le marchand n'y rencontrent-ils pas tout ce qu'ils aiment? Cette admirable harmonie des orgues, ces tentures éclatantes de velours et de tapisseries, ces tableaux des premiers maîtres, les parfums tièdes et suaves que balancent les encensoirs, et les chants délicieux de ces voix argentines, tout cela peut choquer, par son ensemble mondain, le moine sévère et ennemi du plaisir. Mais rien n'est plus beau, selon moi, qu'une religion qui se fait aimer par de pareils moyens. Pourquoi les prêtres voudraient-ils servir un Dieu jaloux? La religion n'est pas un oiseau de proie; c'est une colombe compatissante qui plane doucement sur tous les rêves et sur tous les amours.

LORENZO: Sans doute; ce que vous dites là est parfaitement vrai, et parfaitement faux, comme tout au monde.

TEBALDEO FRECCIA, *s'approchant de Valori*: Ah! monseigneur, qu'il est doux de voir un homme tel que Votre Éminence parler ainsi de la tolérance et de l'enthousiasme sacré! Pardonnez à un citoyen obscur, qui brûle de ce feu divin, de vous remercier de ce peu de paroles que je viens d'entendre. Trouver sur les lèvres d'un honnête homme ce qu'on a soi-même dans le cœur, c'est le plus grand des bonheurs qu'on puisse désirer.

VALORI : N'êtes-vous pas le petit Freccia ?

TEBALDEO : Mes ouvrages ont peu de mérite ; je sais mieux aimer les arts que je ne sais les exercer. Ma jeunesse tout entière s'est passée dans les églises. Il me semble que je ne puis admirer ailleurs Raphaël et notre divin Buonarotti[1]. Je demeure alors durant des journées devant leurs ouvrages, dans une extase sans égale. Le chant de l'orgue me révèle leur pensée, et me fait pénétrer dans leur âme ; je regarde les personnages de leurs tableaux si saintement agenouillés, et j'écoute, comme si les cantiques du chœur sortaient de leurs bouches entr'ouvertes. Des bouffées d'encens aromatique passent entre eux et moi dans une vapeur légère. Je crois y voir la gloire de l'artiste ; c'est aussi une triste et douce fumée, et qui ne serait qu'un parfum stérile, si elle ne montait à Dieu.

VALORI : Vous êtes un vrai cœur d'artiste ; venez à mon palais et ayez quelque chose sous votre manteau quand vous y viendrez. Je veux que vous travailliez pour moi.

TEBALDEO : C'est trop d'honneur que me fait Votre Éminence. Je suis un desservant bien humble de la sainte religion de la peinture.

LORENZO : Pourquoi remettre vos offres de service ? Vous avez, il me semble, un cadre dans les mains.

TEBALDEO : Il est vrai ; mais je n'ose le montrer à de si grands connaisseurs. C'est une esquisse bien pauvre d'un rêve magnifique.

---

1. Raffaello Sanzio, dit Raphaël (1483-1520), peintre officiel de la papauté sous Jules II et Léon X. Michelangelo Buonarroti (et non Buonarotti comme l'écrit Musset), dit Michel-Ange (1475-1564), sculpteur, peintre, architecte, ingénieur et poète italien. Il a réalisé le tombeau des Médicis à Florence.

LORENZO: Vous faites le portrait de vos rêves? Je ferai poser pour vous quelques-uns des miens.

TEBALDEO: Réaliser des rêves, voilà la vie du peintre. Les plus grands ont représenté les leurs dans toute leur force, et sans y rien changer. Leur imagination était un arbre plein de sève; les bourgeons s'y métamorphosaient sans peine en fleurs, et les fleurs en fruits; bientôt ces fruits mûrissaient à un soleil bienfaisant, et, quand ils étaient mûrs, ils se détachaient d'eux-mêmes et tombaient sur la terre, sans perdre un seul grain de leur poussière virginale. Hélas! les rêves des artistes médiocres sont des plantes difficiles à nourrir, et qu'on arrose de larmes bien amères pour les faire bien peu prospérer.

Il montre son tableau.

VALORI: Sans compliment, cela est beau, — non pas du premier mérite, il est vrai — pourquoi flatterais-je un homme qui ne se flatte pas lui-même? Mais votre barbe n'est pas encore poussée, jeune homme.

LORENZO: Est-ce un paysage ou un portrait? De quel côté faut-il le regarder, en long ou en large?

TEBALDEO: Votre Seigneurie se rit de moi. C'est la vue du Campo Santo[1].

LORENZO: Combien y a-t-il d'ici à l'immortalité?

VALORI: Il est mal à vous de plaisanter cet enfant. Voyez comme ses grands yeux s'attristent à chacune de vos paroles.

TEBALDEO: L'immortalité, c'est la foi. Ceux à qui Dieu a donné des ailes y arrivent en souriant.

VALORI: Tu parles comme un élève de Raphaël.

TEBALDEO: Seigneur, c'était mon maître. Ce que j'ai appris vient de lui.

---

1. Cimetière de Florence.

LORENZO : Viens chez moi, je te ferai peindre la Mazza-firra[1] toute nue.

TEBALDEO : Je ne respecte point mon pinceau, mais je respecte mon art. Je ne puis faire le portrait d'une courtisane.

LORENZO : Ton Dieu s'est bien donné la peine de la faire ; tu peux bien te donner celle de la peindre. Veux-tu me faire une vue de Florence ?

TEBALDEO : Oui, monseigneur.

LORENZO : Comment t'y prendrais-tu ?

TEBALDEO : Je me placerais à l'orient, sur la rive gauche de l'Arno. C'est de cet endroit que la perspective est la plus large et la plus agréable.

LORENZO : Tu peindrais Florence, les places, les maisons et les rues ?

TEBALDEO : Oui, monseigneur.

LORENZO : Pourquoi donc ne peux-tu peindre une courtisane, si tu peux peindre un mauvais lieu ?

TEBALDEO : On ne m'a point encore appris à parler ainsi de ma mère.

LORENZO : Qu'appelles-tu ta mère ?

TEBALDEO : Florence, seigneur.

LORENZO : Alors, tu n'es qu'un bâtard, car ta mère n'est qu'une catin.

TEBALDEO : Une blessure sanglante peut engendrer la corruption dans le corps le plus sain. Mais des gouttes précieuses du sang de ma mère sort une plante odorante qui guérit tous les maux. L'art, cette fleur divine, a quelquefois besoin du fumier pour engraisser le sol et le féconder.

LORENZO : Comment entends-tu ceci ?

TEBALDEO : Les nations paisibles et heureuses ont quelquefois brillé d'une clarté pure, mais faible. Il y a plusieurs cordes

---

1. Courtisane célèbre (1577-1621). Anachronisme de Musset.

à la harpe des anges; le zéphyr peut murmurer sur les plus faibles, et tirer de leur accord une harmonie suave et délicieuse; mais la corde d'argent ne s'ébranle qu'au passage du vent du nord. C'est la plus belle et la plus noble; et cependant le toucher d'une rude main lui est favorable. L'enthousiasme est frère de la souffrance.

LORENZO: C'est-à-dire qu'un peuple malheureux fait les grands artistes. Je me ferais volontiers l'alchimiste de ton alambic; les larmes des peuples y retombent en perles. Par la mort du diable! tu me plais. Les familles peuvent se désoler, les nations mourir de misère, cela échauffe la cervelle de monsieur. Admirable poète! comment arranges-tu tout cela avec ta piété?

TEBALDEO: Je ne ris point du malheur des familles; je dis que la poésie est la plus douce des souffrances, et qu'elle aime ses sœurs. Je plains les peuples malheureux, mais je crois en effet qu'ils font les grands artistes. Les champs de bataille font pousser les moissons, les terres corrompues engendrent le blé céleste.

LORENZO: Ton pourpoint est usé; en veux-tu un à ma livrée?

TEBALDEO: Je n'appartiens à personne. Quand la pensée veut être libre, le corps doit l'être aussi.

LORENZO: J'ai envie de dire à mon valet de chambre de te donner des coups de bâton.

TEBALDEO: Pourquoi, monseigneur?

LORENZO: Parce que cela me passe par la tête. Es-tu boiteux de naissance ou par accident?

TEBALDEO: Je ne suis pas boiteux; que voulez-vous dire par là?

LORENZO: Tu es boiteux ou tu es fou.

TEBALDEO: Pourquoi, monseigneur? Vous vous riez de moi.

LORENZO: Si tu n'étais pas boiteux, comment resterais-tu,

à moins d'être fou, dans une ville où, en l'honneur de tes idées de liberté, le premier valet d'un Médicis peut t'assommer sans qu'on y trouve à redire ?

TEBALDEO : J'aime ma mère Florence ; c'est pourquoi je reste chez elle. Je sais qu'un citoyen peut être assassiné en plein jour et en pleine rue, selon le caprice de ceux qui la gouvernent ; c'est pourquoi je porte ce stylet à ma ceinture.

LORENZO : Frapperais-tu le duc si le duc te frappait, comme il lui est arrivé souvent de commettre, par partie de plaisir, des meurtres facétieux ?

TEBALDEO : Je le tuerais, s'il m'attaquait.

LORENZO : Tu me dis cela, à moi ?

TEBALDEO : Pourquoi m'en voudrait-on ? je ne fais de mal à personne. Je passe les journées à l'atelier. Le dimanche, je vais à l'Annonciade ou à Sainte-Marie [1] ; les moines trouvent que j'ai de la voix ; ils me mettent une robe blanche et une calotte rouge, et je fais ma partie dans les chœurs, quelquefois un petit solo : ce sont les seules occasions où je vais en public. Le soir, je vais chez ma maîtresse, et quand la nuit est belle, je la passe sur son balcon. Personne ne me connaît, et je ne connais personne ; à qui ma vie ou ma mort peut-elle être utile ?

LORENZO : Es-tu républicain ? aimes-tu les princes ?

TEBALDEO : Je suis artiste ; j'aime ma mère et ma maîtresse.

LORENZO : Viens demain à mon palais, je veux te faire faire un tableau d'importance pour le jour de mes noces.

Ils sortent.

---

1. Églises de Florence.

Scène 3

Chez la marquise Cibo. LE CARDINAL, *seul.*

Oui, je suivrai tes ordres, Farnèse[1] ! Que ton commissaire
apostolique[2] s'enferme avec sa probité dans le cercle étroit
de son office, je remuerai d'une main ferme la terre glis-
sante sur laquelle il n'ose marcher. Tu attends cela de moi,
je l'ai compris, et j'agirai sans parler, comme tu as commandé. Tu as deviné qui j'étais, lorsque tu m'as placé auprès
d'Alexandre sans me revêtir d'aucun titre qui me donnât
quelque pouvoir sur lui. C'est d'un autre qu'il se défiera, en
m'obéissant à son insu. Qu'il épuise sa force contre des
ombres d'hommes gonflés d'une ombre de puissance, je
serai l'anneau invisible qui l'attachera, pieds et poings liés, à
la chaîne de fer dont Rome et César tiennent les deux
bouts. Si mes yeux ne me trompent pas, c'est dans cette
maison qu'est le marteau dont je me servirai. Alexandre
aime ma belle-sœur ; que cet amour l'ait flattée, cela est
croyable ; ce qui peut en résulter est douteux ; mais ce
qu'elle en veut faire, c'est là ce qui est certain pour moi.
Qui sait jusqu'où pourrait aller l'influence d'une femme
exaltée, même sur cet homme grossier, sur cette armure
vivante ? Un si doux péché pour une si belle cause, cela est
tentant, n'est-il pas vrai, Ricciarda ? Presser ce cœur de lion
sur ton faible cœur tout percé de flèches sanglantes,
comme celui de saint Sébastien[3] ; parler, les yeux en pleurs,
des malheurs de la patrie, pendant que le tyran adoré pas-
sera ses rudes mains dans ta chevelure dénouée ; faire jaillir

---

1. « Le pape Paul III » (note de Musset).
2. Le cardinal Baccio Valori.
3. Le corps percé de flèches de ce martyr romain constitue un
thème pictural fréquent sous la Renaissance.

d'un rocher l'étincelle sacrée, cela valait bien le petit sacrifice de l'honneur conjugal, et de quelques autres bagatelles. Florence y gagnerait tant, et ces bons maris n'y perdent rien ! Mais il ne fallait pas me prendre pour confesseur.

La voici qui s'avance, son livre de prières à la main. Aujourd'hui donc tout va s'éclaircir — laisse seulement tomber ton secret dans l'oreille du prêtre ; le courtisan pourra bien en profiter, mais, en conscience, il n'en dira rien.

Entre la marquise.

LE CARDINAL, *s'asseyant* : Me voilà prêt.

> *La marquise s'agenouille auprès de lui sur son prie-Dieu.*

LA MARQUISE : Bénissez-moi, mon père, parce que j'ai péché.

LE CARDINAL : Avez-vous dit votre *Confiteor* [1] ? Nous pouvons commencer, marquise.

LA MARQUISE : Je m'accuse de mouvements de colère, de doutes irréligieux et injurieux pour notre saint-père le pape.

LE CARDINAL : Continuez.

LA MARQUISE : J'ai dit hier, dans une assemblée, à propos de l'évêque de Fano, que la sainte Église catholique était un lieu de débauche.

LE CARDINAL : Continuez.

LA MARQUISE : J'ai écouté des discours contraires à la fidélité que j'ai jurée à mon mari.

LE CARDINAL : Qui vous a tenu ces discours ?

LA MARQUISE : J'ai lu une lettre écrite dans la même pensée.

LE CARDINAL : Qui vous a écrit cette lettre ?

LA MARQUISE : Je m'accuse de ce que j'ai fait, et non de ce qu'ont fait les autres.

---

1. Littéralement « je confesse ». Prière catholique précédant la confession.

LE CARDINAL : Ma fille, vous devez me répondre, si vous voulez que je puisse vous donner l'absolution en toute sécurité. Avant tout, dites-moi si vous avez répondu à cette lettre.

LA MARQUISE : J'y ai répondu de vive voix, mais non par écrit.

LE CARDINAL : Qu'avez-vous répondu ?

LA MARQUISE : J'ai accordé à la personne qui m'avait écrit la permission de me voir comme elle le demandait.

LE CARDINAL : Comment s'est passée cette entrevue ?

LA MARQUISE : Je me suis accusée déjà d'avoir écouté des discours contraires à mon honneur.

LE CARDINAL : Comment y avez-vous répondu ?

LA MARQUISE : Comme il convient à une femme qui se respecte.

LE CARDINAL : N'avez-vous point laissé entrevoir qu'on finirait par vous persuader ?

LA MARQUISE : Non, mon père.

LE CARDINAL : Avez-vous annoncé à la personne dont il s'agit la résolution de ne plus écouter de semblables discours à l'avenir ?

LA MARQUISE : Oui, mon père.

LE CARDINAL : Cette personne vous plaît-elle ?

LA MARQUISE : Mon cœur n'en sait rien, j'espère.

LE CARDINAL : Avez-vous averti votre mari ?

LA MARQUISE : Non, mon père. Une honnête femme ne doit point troubler son ménage par des récits de cette sorte.

LE CARDINAL : Ne me cachez-vous rien ? Ne s'est-il rien passé entre vous et la personne dont il s'agit, que vous hésitiez à me confier ?

LA MARQUISE : Rien, mon père.

LE CARDINAL : Pas un regard ? pas un baiser pris à la dérobée ?

LA MARQUISE : Non, mon père.

LE CARDINAL : Cela est-il sûr, ma fille ?

LA MARQUISE : Mon beau-frère, il me semble que je n'ai pas l'habitude de mentir devant Dieu.

LE CARDINAL : Vous avez refusé de me dire le nom que je vous ai demandé tout à l'heure ; je ne puis cependant vous donner l'absolution sans le savoir.

LA MARQUISE : Pourquoi cela ? Lire une lettre peut être un péché, mais non pas lire une signature. Qu'importe le nom à la chose ?

LE CARDINAL : Il importe plus que vous ne pensez.

LA MARQUISE : Malaspina, vous en voulez trop savoir. Refusez-moi l'absolution, si vous voulez ; je prendrai pour confesseur le premier prêtre venu, qui me la donnera.

Elle se lève.

LE CARDINAL : Quelle violence, marquise ! Est-ce que je ne sais pas que c'est du duc que vous voulez parler ?

LA MARQUISE : Du duc ! — Eh bien ! si vous le savez, pourquoi voulez-vous me le faire dire ?

LE CARDINAL : Pourquoi refusez-vous de le dire ? Cela m'étonne.

LA MARQUISE : Et qu'en voulez-vous faire, vous, mon confesseur ? Est-ce pour le répéter à mon mari que vous tenez si fort à l'entendre ? Oui, cela est bien certain ; c'est un tort que d'avoir pour confesseur un de ses parents. Le ciel m'est témoin qu'en m'agenouillant devant vous, j'oublie que je suis votre belle-sœur ; mais vous prenez soin de me le rappeler. Prenez garde, Cibo, prenez garde à votre salut éternel, tout cardinal que vous êtes.

LE CARDINAL : Revenez donc à cette place, marquise ; il n'y a pas tant de mal que vous croyez.

LA MARQUISE : Que voulez-vous dire ?

LE CARDINAL: Qu'un confesseur doit tout savoir, parce qu'il peut tout diriger, et qu'un beau-frère ne doit rien dire, à certaines conditions.

LA MARQUISE: Quelles conditions?

LE CARDINAL: Non, non, je me trompe; ce n'était pas ce mot-là que je voulais employer. Je voulais dire que le duc est puissant, qu'une rupture avec lui peut nuire aux plus riches familles; mais qu'un secret d'importance entre des mains expérimentées peut devenir une source de biens abondante.

LA MARQUISE: Une source de biens! — des mains expérimentées! — Je reste là, en vérité, comme une statue. Que couves-tu, prêtre, sous ces paroles ambiguës? Il y a certains assemblages de mots qui passent par instants sur vos lèvres, à vous autres; on ne sait qu'en penser.

LE CARDINAL: Revenez donc vous asseoir là, Ricciarda. Je ne vous ai point encore donné l'absolution.

LA MARQUISE: Parlez toujours; il n'est pas prouvé que j'en veuille.

LE CARDINAL, *se levant*: Prenez garde à vous, marquise! Quand on veut me braver en face, il faut avoir une armure solide et sans défaut; je ne veux point menacer, je n'ai qu'un mot à vous dire: prenez un autre confesseur.

Il sort.

LA MARQUISE, *seule*: Cela est inouï. S'en aller en serrant les poings, les yeux enflammés de colère! Parler de mains expérimentées, de direction à donner à certaines choses! Eh! mais qu'y a-t-il donc? Qu'il voulût pénétrer mon secret pour en informer mon mari, je le conçois; mais, si ce n'est pas là son but, que veut-il donc faire de moi? La maîtresse du duc? Tout savoir, dit-il, et tout diriger! — Cela n'est pas possible! — Il y a quelque autre mystère plus sombre et plus inexplicable là-dessous; Cibo ne ferait pas un pareil métier. Non! cela est sûr; je le connais. C'est bon pour un Lorenzaccio; mais lui! il faut qu'il ait quelque sourde pensée, plus vaste que cela et plus profonde. Ah! comme les hommes sortent d'eux-mêmes tout à coup après dix ans de silence! Cela est effrayant.

Maintenant, que ferai-je? Est-ce que j'aime Alexandre? Non, je ne l'aime pas, non, assurément; j'ai dit que non dans ma confession, et je n'ai pas menti. Pourquoi Laurent est-il à Massa? Pourquoi le duc me presse-t-il? Pourquoi ai-je répondu que je ne voulais plus le voir? pourquoi? — Ah! pourquoi y a-t-il dans tout cela un aimant, un charme inexplicable qui m'attire? *(Elle ouvre sa fenêtre.)* Que tu es belle, Florence, mais que tu es triste! Il y a là plus d'une maison où Alexandre est entré la nuit, couvert de son manteau; c'est un libertin, je le sais. — Et pourquoi est-ce que tu te mêles à tout cela, toi, Florence? Qui est-ce donc que j'aime? Est-ce toi? Est-ce lui?

AGNOLO, *entrant*: Madame, Son Altesse vient d'entrer dans la cour.

LA MARQUISE: Cela est singulier; ce Malaspina m'a laissée toute tremblante.

Scène 4

Au palais des Soderini.
MARIE SODERINI, CATHERINE, LORENZO *assis.*

CATHERINE, *tenant un livre*: Quelle histoire vous lirai-je, ma mère?

MARIE: Ma Cattina se moque de sa pauvre mère. Est-ce que je comprends rien à tes livres latins?

CATHERINE: Celui-ci n'est point en latin, mais il en est traduit. C'est l'histoire romaine.

LORENZO : Je suis très fort sur l'histoire romaine. Il y avait une fois un jeune gentilhomme nommé Tarquin le fils[1].

CATHERINE : Ah ! c'est une histoire de sang.

LORENZO : Pas du tout ; c'est un conte de fées. Brutus était un fou, un monomane, rien de plus. Tarquin était un duc plein de sagesse, qui allait voir en pantoufles si les petites filles dormaient bien.

CATHERINE : Dites-vous aussi du mal de Lucrèce ?

LORENZO : Elle s'est donné le plaisir du péché et la gloire du trépas. Elle s'est laissé prendre toute vive comme une alouette au piège, et puis elle s'est fourré bien gentiment son petit couteau dans le ventre.

MARIE : Si vous méprisez les femmes, pourquoi affectez-vous de les rabaisser devant votre mère et votre sœur[2] ?

LORENZO : Je vous estime, vous et elle. Hors de là, le monde me fait horreur.

MARIE : Sais-tu le rêve que j'ai eu cette nuit, mon enfant ?

LORENZO : Quel rêve ?

MARIE : Ce n'était point un rêve, car je ne dormais pas. J'étais seule dans cette grande salle ; ma lampe était loin de moi, sur cette table auprès de la fenêtre. Je songeais aux jours où j'étais heureuse, aux jours de ton enfance, mon Lorenzino. Je regardais cette nuit obscure, et je me disais : il ne rentrera qu'au jour, lui qui passait autrefois les nuits à travailler. Mes yeux se remplissaient de larmes, et je secouais la tête en les sentant couler. J'ai entendu tout d'un

---

1. Sextus Tarquin, fils de Tarquin le Superbe, roi de Rome. Il viola une femme mariée, Lucrèce, qui se suicida de honte. Or, Tarquin le Superbe avait tué le père de Brutus et ce dernier simulait la folie pour mieux préparer sa vengeance. À la faveur du scandale causé par le viol de Lucrèce, Brutus souleva le peuple, chassa les Tarquins et fit proclamer la République romaine (vers 509 avant J.-C.). Tite-Live, *Histoire de Rome*, I, LVIII-LIX.

2. La toute jeune Catherine pourrait être la sœur de Lorenzo. Voir note 2, p. 36.

coup marcher lentement dans la galerie; je me suis retournée; un homme vêtu de noir venait à moi, un livre sous le bras — c'était toi, Renzo: «Comme tu reviens de bonne heure!» me suis-je écriée. Mais le spectre s'est assis auprès de la lampe sans me répondre; il a ouvert son livre, et j'ai reconnu mon Lorenzino d'autrefois.

LORENZO: Vous l'avez vu?

MARIE: Comme je te vois.

LORENZO: Quand s'en est-il allé?

MARIE: Quand tu as tiré la cloche ce matin en rentrant.

LORENZO: Mon spectre, à moi! Et il s'en est allé quand je suis rentré?

MARIE: Il s'est levé d'un air mélancolique, et s'est effacé comme une vapeur du matin.

LORENZO: Catherine, Catherine, lis-moi l'histoire de Brutus.

CATHERINE: Qu'avez-vous? vous tremblez de la tête aux pieds.

LORENZO: Ma mère, asseyez-vous ce soir à la place où vous étiez cette nuit, et si mon spectre revient, dites-lui qu'il verra bientôt quelque chose qui l'étonnera.

On frappe.

CATHERINE: C'est mon oncle Bindo et Baptista Venturi.

Entrent Bindo et Venturi.

BINDO, *bas à Marie*: Je viens tenter un dernier effort.

MARIE: Nous vous laissons; puissiez-vous réussir!

Elle sort avec Catherine.

BINDO: Lorenzo, pourquoi ne démens-tu pas l'histoire scandaleuse qui court sur ton compte?

LORENZO: Quelle histoire?

BINDO : On dit que tu t'es évanoui à la vue d'une épée.

LORENZO : Le croyez-vous, mon oncle ?

BINDO : Je t'ai vu faire des armes à Rome ; mais cela ne m'étonnerait pas que tu devinsses plus vil qu'un chien, au métier que tu fais ici.

LORENZO : L'histoire est vraie, je me suis évanoui. Bonjour, Venturi. À quel taux sont vos marchandises ? comment va le commerce ?

VENTURI : Seigneur, je suis à la tête d'une fabrique de soie ; mais c'est me faire injure que de m'appeler marchand.

LORENZO : C'est vrai. Je voulais dire seulement que vous aviez contracté au collège l'habitude innocente de vendre de la soie.

BINDO : J'ai confié au seigneur Venturi les projets qui occupent en ce moment tant de familles à Florence. C'est un digne ami de la liberté, et j'entends, Lorenzo, que vous le traitiez comme tel. Le temps de plaisanter est passé. Vous nous avez dit quelquefois que cette confiance extrême que le duc vous témoigne n'était qu'un piège de votre part. Cela est-il vrai ou faux ? Êtes-vous des nôtres, ou n'en êtes-vous pas ? Voilà ce qu'il nous faut savoir. Toutes les grandes familles voient bien que le despotisme des Médicis n'est ni juste ni tolérable. De quel droit laisserions-nous s'élever paisiblement cette maison orgueilleuse sur les ruines de nos privilèges ? La capitulation n'est point observée. La puissance de l'Allemagne se fait sentir de jour en jour d'une manière plus absolue. Il est temps d'en finir et de rassembler les patriotes. Répondrez-vous à cet appel ?

LORENZO : Qu'en dites-vous, seigneur Venturi ? Parlez, parlez ! Voilà mon oncle qui reprend haleine. Saisissez cette occasion, si vous aimez votre pays.

VENTURI : Seigneur, je pense de même, et je n'ai pas un mot à ajouter.

LORENZO : Pas un mot ? pas un beau petit mot bien

sonore? Vous ne connaissez pas la véritable éloquence. On tourne une grande période autour d'un beau petit mot, pas trop court ni trop long, et rond comme une toupie. On rejette son bras gauche en arrière de manière à faire faire à son manteau des plis pleins d'une dignité tempérée par la grâce; on lâche sa période qui se déroule comme une corde ronflante, et la petite toupie s'échappe avec un murmure délicieux. On pourrait presque la ramasser dans le creux de la main, comme les enfants des rues.

BINDO : Tu es un insolent! Réponds, ou sors d'ici.

LORENZO : Je suis des vôtres, mon oncle. Ne voyez-vous pas à ma coiffure que je suis républicain dans l'âme? Regardez comme ma barbe est coupée. N'en doutez pas un seul instant; l'amour de la patrie respire dans mes vêtements les plus cachés.

On sonne à la porte d'entrée. La cour se remplit
de pages et de chevaux.

UN PAGE, *en entrant*: Le duc!

Entre Alexandre.

LORENZO : Quel excès de faveur, mon prince! Vous daignez visiter un pauvre serviteur en personne?

LE DUC : Quels sont ces hommes-là? J'ai à te parler.

LORENZO : J'ai l'honneur de présenter à Votre Altesse mon oncle Bindo Altoviti, qui regrette qu'un long séjour à Naples ne lui ait pas permis de se jeter plus tôt à vos pieds. Cet autre seigneur est l'illustre Baptista Venturi, qui fabrique, il est vrai, de la soie, mais qui n'en vend point. Que la présence inattendue d'un si grand prince dans cette humble maison ne vous trouble pas, mon cher oncle, ni vous non plus, digne Venturi. Ce que vous demandez vous sera accordé, ou vous serez en droit de dire que mes supplications n'ont aucun crédit auprès de mon gracieux souverain.

LE DUC : Que demandez-vous, Bindo?

BINDO : Altesse, je suis désolé que mon neveu…

LORENZO : Le titre d'ambassadeur à Rome n'appartient à personne en ce moment. Mon oncle se flattait de l'obtenir de vos bontés. Il n'est pas dans Florence un seul homme qui puisse soutenir la comparaison avec lui, dès qu'il s'agit du dévouement et du respect qu'on doit aux Médicis.

LE DUC : En vérité, Renzino ? Eh bien ! mon cher Bindo, voilà qui est dit. Viens demain au palais.

BINDO : Altesse, je suis confondu. Comment reconnaître…

LORENZO : Le seigneur Venturi, bien qu'il ne vende point de soie, demande un privilège pour ses fabriques.

LE DUC : Quel privilège ?

LORENZO : Vos armoiries sur la porte, avec le brevet[1]. Accordez-le-lui, monseigneur, si vous aimez ceux qui vous aiment.

LE DUC : Voilà qui est bon. Est-ce fini ? Allez, messieurs, la paix soit avec vous.

VENTURI : Altesse !… vous me comblez de joie… je ne puis exprimer…

LE DUC, *à ses gardes* : Qu'on laisse passer ces deux personnes.

BINDO, *sortant, bas à Venturi* : C'est un tour infâme.

VENTURI, *de même* : Qu'est-ce que vous ferez ?

BINDO, *de même* : Que diable veux-tu que je fasse ? Je suis nommé.

VENTURI, *de même* : Cela est terrible.

Ils sortent.

LE DUC : La Cibo est à moi.

LORENZO : J'en suis fâché.

LE DUC : Pourquoi ?

LORENZO : Parce que cela fera tort aux autres.

---

1. Titre de fournisseur officiel de la Cour.

LE DUC : Ma foi, non, elle m'ennuie déjà. Dis-moi donc, mignon, quelle est donc cette belle femme qui arrange ces fleurs sur cette fenêtre ? Voilà longtemps que je la vois sans cesse en passant.

LORENZO : Où donc ?

LE DUC : Là-bas, en face, dans le palais.

LORENZO : Oh ! ce n'est rien.

LE DUC : Rien ? Appelles-tu rien ces bras-là ? Quelle Vénus, entrailles du diable !

LORENZO : C'est une voisine.

LE DUC : Je veux parler à cette voisine-là. Eh ! parbleu, si je ne me trompe, c'est Catherine Ginori.

LORENZO : Non.

LE DUC : Je la reconnais très bien ; c'est ta tante. Peste ! j'avais oublié cette figure-là. Amène-la donc souper.

LORENZO : Cela serait très difficile. C'est une vertu.

LE DUC : Allons donc ! Est-ce qu'il y en a pour nous autres ?

LORENZO : Je le lui demanderai, si vous voulez. Mais je vous avertis que c'est une pédante ; elle parle latin.

LE DUC : Bon ! elle ne fait pas l'amour en latin. Viens donc par ici ; nous la verrons mieux de cette galerie.

LORENZO : Une autre fois, mignon — à l'heure qu'il est je n'ai pas de temps à perdre — il faut que j'aille chez le Strozzi.

LE DUC : Quoi ! chez ce vieux fou ?

LORENZO : Oui, chez ce vieux misérable, chez cet infâme. Il paraît qu'il ne peut se guérir de cette singulière lubie d'ouvrir sa bourse à toutes ces viles créatures qu'on nomme bannis, et que ces meurt-de-faim se réunissent chez lui tous les jours, avant de mettre leurs souliers et de prendre leurs bâtons. Maintenant, mon projet est d'aller au plus vite manger le dîner de ce vieux gibier de potence, et de lui renouveler l'assurance de ma cordiale amitié. J'aurai ce soir quelque bonne histoire à vous conter, quelque charmante fredaine qui pourra faire lever de bonne heure demain matin quelques-unes de toutes ces canailles.

LE DUC : Que je suis heureux de t'avoir, mignon ! J'avoue que je ne comprends pas comment ils te reçoivent.

LORENZO : Bon ! Si vous saviez comme cela est aisé de mentir impudemment au nez d'un butor ! Cela prouve bien que vous n'avez jamais essayé. À propos, ne m'avez-vous pas dit que vous vouliez donner votre portrait, je ne sais plus à qui ? J'ai un peintre à vous amener ; c'est un protégé.

LE DUC : Bon, bon, mais pense à la tante. C'est pour elle que je suis venu te voir ; le diable m'emporte, tu as une tante qui me revient.

LORENZO : Et la Cibo ?

LE DUC : Je te dis de parler de moi à ta tante.

Ils sortent.

Scène 5

Une salle du palais des Strozzi.
PHILIPPE STROZZI, LE PRIEUR, LOUISE,
occupée à travailler ; LORENZO, *couché sur un sofa.*

PHILIPPE : Dieu veuille qu'il n'en soit rien ! Que de haines inextinguibles, implacables, n'ont pas commencé autrement ! Un propos ! la fumée d'un repas jasant sur les lèvres épaisses d'un débauché ! voilà les guerres de famille, voilà comme les couteaux se tirent. On est insulté, et on tue ; on a tué, et on est tué. Bientôt les haines s'enracinent ; on berce les fils dans les cercueils de leurs aïeux, et des générations entières sortent de terre l'épée à la main.

LE PRIEUR : J'ai peut-être eu tort de me souvenir de ce

méchant propos et de ce maudit voyage à Montolivet; mais le moyen d'endurer ces Salviati?

PHILIPPE: Ah! Léon, Léon, je te le demande; qu'y aurait-il de changé pour Louise et pour nous-mêmes, si tu n'avais rien dit à mes enfants? La vertu d'une Strozzi ne peut-elle oublier un mot d'un Salviati? L'habitant d'un palais de marbre doit-il savoir les obscénités que la populace écrit sur ses murs? Qu'importe le propos d'un Julien? Ma fille en trouvera-t-elle moins un honnête mari? Ses enfants la respecteront-ils moins? M'en souviendrai-je, moi, son père, en lui donnant le baiser du soir? Où en sommes-nous, si l'insolence du premier venu tire du fourreau des épées comme les nôtres? Maintenant tout est perdu; voilà Pierre furieux de tout ce que tu nous as conté. Il s'est mis en campagne; il est allé chez les Pazzi. Dieu sait ce qui peut arriver! Qu'il rencontre Salviati, voilà le sang répandu, le mien, mon sang sur le pavé de Florence! Ah! pourquoi suis-je père?

LE PRIEUR: Si l'on m'eût rapporté un propos sur ma sœur, quel qu'il fût, j'aurais tourné le dos, et tout aurait été fini là. Mais celui-là m'était adressé; il était si grossier que je me suis figuré que le rustre ne savait de qui il parlait — mais il le savait bien.

PHILIPPE: Oui, ils le savent, les infâmes! ils savent bien où ils frappent! Le vieux tronc d'arbre est d'un bois trop solide; ils ne viendraient pas l'entamer. Mais ils connaissent la fibre délicate qui tressaille dans ses entrailles, lorsqu'on attaque son plus faible bourgeon. Ma Louise! ah! qu'est-ce donc que la raison? Les mains me tremblent à cette idée. Juste Dieu! la raison, est-ce donc la vieillesse?

LE PRIEUR: Pierre est trop violent.

PHILIPPE: Pauvre Pierre! comme le rouge lui est monté au front! comme il a frémi en t'écoutant raconter l'insulte faite à sa sœur! C'est moi qui suis un fou, car je t'ai laissé dire. Pierre se promenait par la chambre à grands pas, inquiet, furieux, la tête perdue ; il allait et venait, comme moi maintenant. Je le regardais en silence ; c'est un si beau spectacle qu'un sang pur montant à un front sans reproche. Ô ma patrie ! pensais-je, en voilà un, et c'est mon aîné. Ah ! Léon, j'ai beau faire, je suis un Strozzi.

LE PRIEUR : Il n'y a peut-être pas tant de danger que vous le pensez. — C'est un grand hasard s'il rencontre Salviati ce soir. — Demain, nous verrons tous les choses plus sagement.

PHILIPPE : N'en doute pas ; Pierre le tuera, ou il se fera tuer. *(Il ouvre la fenêtre.)* Où sont-ils maintenant ? Voilà la nuit ; la ville se couvre de profondes ténèbres. Ces rues sombres me font horreur — le sang coule quelque part, j'en suis sûr.

LE PRIEUR : Calmez-vous.

PHILIPPE : À la manière dont mon Pierre est sorti, je suis sûr qu'on ne le reverra que vengé ou mort. Je l'ai vu décrocher son épée en fronçant le sourcil ; il se mordait les lèvres, et les muscles de ses bras étaient tendus comme des arcs. Oui, oui, maintenant il meurt ou il est vengé, cela n'est pas douteux.

LE PRIEUR : Remettez-vous, fermez cette fenêtre.

PHILIPPE : Eh bien, Florence, apprends-la donc à tes pavés, la couleur de mon noble sang ! il y a quarante de tes fils qui l'ont dans les veines. Et moi, le chef de cette famille immense, plus d'une fois encore ma tête blanche se penchera du haut de ces fenêtres, dans les angoisses paternelles ! plus d'une fois, ce sang, que tu bois peut-être à cette heure avec indifférence, séchera au soleil de tes places. Mais ne ris pas ce soir du vieux Strozzi, qui a peur pour son enfant. Sois avare de sa famille, car il viendra un jour où tu la compteras, où tu te mettras avec lui à la fenêtre, et où le cœur te battra aussi lorsque tu entendras le bruit de nos épées.

LOUISE : Mon père ! mon père ! vous me faites peur.

LE PRIEUR, *bas à Louise* : N'est-ce pas Thomas qui rôde sous ces lanternes ? Il m'a semblé le reconnaître à sa petite taille ; le voilà parti.

PHILIPPE : Pauvre ville, où les pères attendent ainsi le retour de leurs enfants ! Pauvre patrie ! pauvre patrie ! Il y en a bien d'autres à cette heure qui ont pris leurs manteaux et leurs épées pour s'enfoncer dans cette nuit obscure — et ceux qui les attendent ne sont point inquiets — ils savent qu'ils mourront demain de misère, s'ils ne meurent de froid cette nuit. Et nous, dans ces palais somptueux, nous attendons qu'on nous insulte pour tirer nos épées ! Le propos d'un ivrogne nous transporte de colère, et disperse dans ces sombres rues nos fils et nos amis ! Mais les malheurs publics ne secouent pas la poussière de nos armes. On croit Philippe Strozzi un honnête homme, parce qu'il fait le bien sans empêcher le mal ! Et maintenant, moi, père, que ne donnerais-je pas pour qu'il y eût au monde un être capable de me rendre mon fils et de punir juridiquement l'insulte faite à ma fille ! Mais pourquoi empêcherait-on le mal qui m'arrive, quand je n'ai pas empêché celui qui arrive aux autres, moi qui en avais le pouvoir ? Je me suis courbé sur des livres, et j'ai rêvé pour ma patrie ce que j'admirais dans l'antiquité. Les murs criaient vengeance autour de moi, et je me bouchais les oreilles pour m'enfoncer dans mes méditations — il a fallu que la tyrannie vînt me frapper au visage pour me faire dire : Agissons ! — et ma vengeance a des cheveux gris.

Entrent Pierre avec Thomas et François Pazzi.

PIERRE : C'est fait ; Salviati est mort.

Il embrasse sa sœur.

LOUISE : Quelle horreur ! tu es couvert de sang.

PIERRE : Nous l'avons attendu au coin de la rue des Archers ; François a arrêté son cheval ; Thomas l'a frappé à la jambe, et moi...

LOUISE : Tais-toi ! tais-toi ! tu me fais frémir. Tes yeux sortent de leurs orbites — tes mains sont hideuses — tout ton corps tremble, et tu es pâle comme la mort.

LORENZO, *se levant* : Tu es beau, Pierre, tu es grand comme la vengeance.

PIERRE : Qui dit cela ? Te voilà ici, toi, Lorenzaccio ! *(Il s'approche de son père.)* Quand donc fermerez-vous votre porte à ce misérable ? ne savez-vous donc pas ce que c'est, sans compter l'histoire de son duel avec Maurice ?

PHILIPPE : C'est bon, je sais tout cela. Si Lorenzo est ici, c'est que j'ai de bonnes raisons pour l'y recevoir. Nous en parlerons en temps et lieu.

PIERRE, *entre ses dents* : Hum ! des raisons pour recevoir cette canaille ! Je pourrais bien en trouver, un de ces matins, une très bonne aussi pour le faire sauter par les fenêtres. Dites ce que vous voudrez, j'étouffe dans cette chambre de voir une pareille lèpre se traîner sur nos fauteuils.

PHILIPPE : Allons, paix ! tu es un écervelé. Dieu veuille que ton coup de ce soir n'ait pas de mauvaises suites pour nous ! Il faut commencer par te cacher.

PIERRE : Me cacher ! Et au nom de tous les saints, pourquoi me cacherais-je ?

LORENZO, *à Thomas* : En sorte que vous l'avez frappé à l'épaule ? — Dites-moi donc un peu…

Il l'entraîne dans l'embrasure d'une fenêtre ; tous deux s'entretiennent à voix basse.

PIERRE : Non, mon père, je ne me cacherai pas. L'insulte a été publique, il nous l'a faite au milieu d'une place. Moi, je l'ai assommé au milieu d'une rue, et il me convient demain matin de le raconter à toute la ville. Depuis quand se cache-t-on pour avoir vengé son honneur ? Je me promènerais volontiers l'épée nue, et sans en essuyer une goutte de sang.

PHILIPPE : Viens par ici, il faut que je te parle. Tu n'es pas blessé, mon enfant ? tu n'as rien reçu dans tout cela ?

Ils sortent.

Scène 6

Au palais du duc.
LE DUC, *à demi nu,* TEBALDEO *faisant son portrait.*
GIOMO *joue de la guitare.*

GIOMO, *chantant* :

> Quand je mourrai, mon échanson[1],
> Porte mon cœur à ma maîtresse.
> Qu'elle envoie au diable la messe,
> La prêtraille et les oraisons.
> Les pleurs ne sont que de l'eau claire.
> Dis-lui qu'elle éventre un tonneau ;
> Qu'on entonne un chœur sur ma bière,
> J'y répondrai du fond de mon tombeau.

LE DUC : Je savais bien que j'avais quelque chose à te demander. Dis-moi, Hongrois, que t'avait donc fait ce garçon que je t'ai vu bâtonner tantôt d'une si joyeuse manière ?

GIOMO : Ma foi, je ne saurais le dire, ni lui non plus.

LE DUC : Pourquoi ? Est-ce qu'il est mort ?

GIOMO : C'est un gamin d'une maison voisine ; tout à l'heure, en passant, il m'a semblé qu'on l'enterrait.

LE DUC : Quand mon Giomo frappe, il frappe ferme.

GIOMO : Cela vous plaît à dire ; je vous ai vu tuer un homme d'un coup plus d'une fois.

LE DUC : Tu crois ! J'étais donc gris ? Quand je suis en

---

1. Serviteur chargé de servir à boire à la table du prince.

pointe de gaieté, tous mes moindres coups sont mortels. *(À Tebaldeo.)* Qu'as-tu donc, petit? est-ce que la main te tremble? tu louches terriblement.

TEBALDEO: Rien, monseigneur, plaise à Votre Altesse.

Entre Lorenzo.

LORENZO: Cela avance-t-il? Êtes-vous content de mon protégé? *(Il prend la cotte de mailles du duc sur le sofa.)* Vous avez là une jolie cotte de mailles, mignon! Mais cela doit être bien chaud.

LE DUC: En vérité, si elle me gênait, je n'en porterais pas. Mais c'est du fil d'acier; la lime la plus aiguë n'en pourrait ronger une maille, et en même temps c'est léger comme de la soie. Il n'y a peut-être pas la pareille dans toute l'Europe; aussi je ne la quitte guère, jamais, pour mieux dire.

LORENZO: C'est très léger, mais très solide. Croyez-vous cela à l'épreuve du stylet?

LE DUC: Assurément.

LORENZO: Au fait, j'y réfléchis à présent, vous la portez toujours sous votre pourpoint. L'autre jour, à la chasse, j'étais en croupe derrière vous, et en vous tenant à bras-le-corps, je la sentais très bien. C'est une prudente habitude.

LE DUC: Ce n'est pas que je me défie de personne; comme tu dis, c'est une habitude — pure habitude de soldat.

LORENZO: Votre habit est magnifique. Quel parfum que ces gants! Pourquoi donc posez-vous à moitié nu? Cette cotte de mailles aurait fait son effet dans votre portrait; vous avez eu tort de la quitter.

LE DUC: C'est le peintre qui l'a voulu. Cela vaut toujours mieux, d'ailleurs, de poser le cou découvert; regarde les antiques.

LORENZO : Où diable est ma guitare ? Il faut que je fasse un second dessus[1] à Giomo.

Il sort.

TEBALDEO : Altesse, je n'en ferai pas davantage aujourd'hui.

GIOMO, *à la fenêtre* : Que fait donc Lorenzo ? Le voilà en contemplation devant le puits qui est au milieu du jardin ; ce n'est pas là, il me semble, qu'il devrait chercher sa guitare.

LE DUC : Donne-moi mes habits. Où est donc ma cotte de mailles ?

GIOMO : Je ne la trouve pas, j'ai beau chercher, elle s'est envolée.

LE DUC : Renzino[2] la tenait il n'y a pas cinq minutes ; il l'aura jetée dans un coin en s'en allant, selon sa louable coutume de paresseux.

GIOMO : Cela est incroyable ; pas plus de cotte de mailles que sur ma main.

LE DUC : Allons, tu rêves ! cela est impossible.

GIOMO : Voyez vous-même, Altesse ; la chambre n'est pas si grande.

LE DUC : Renzo la tenait là, sur ce sofa. *(Rentre Lorenzo.)* Qu'as-tu donc fait de ma cotte ? nous ne pouvons plus la trouver.

LORENZO : Je l'ai remise où elle était. Attendez — non, je l'ai posée sur ce fauteuil — non, c'était sur le lit — je n'en sais rien, mais j'ai trouvé ma guitare. *(Il chante en s'accompagnant.)*
          Bonjour, madame l'abbesse...

GIOMO : Dans le puits du jardin, apparemment ? car vous étiez penché dessus tout à l'heure d'un air tout à fait absorbé.

---

1. Le « dessus » est celui qui tient la partie la plus aiguë dans un ensemble vocal ou instrumental.
2. Diminutif de Lorenzino.

LORENZO: Cracher dans un puits pour faire des ronds est mon plus grand bonheur. Après boire et dormir, je n'ai pas d'autre occupation. *(Il continue à jouer.)*

Bonjour, bonjour, abbesse de mon cœur...

LE DUC: Cela est inouï que cette cotte se trouve perdue! Je crois que je ne l'ai pas ôtée deux fois dans ma vie, si ce n'est pour me coucher.

LORENZO: Laissez donc, laissez donc. N'allez-vous pas faire un valet de chambre d'un fils de pape? Vos gens la trouveront.

LE DUC: Que le diable t'emporte! c'est toi qui l'as égarée.

LORENZO: Si j'étais duc de Florence, je m'inquiéterais d'autre chose que de mes cottes. À propos, j'ai parlé de vous à ma chère tante. Tout est au mieux; venez donc un peu ici que je vous parle à l'oreille.

GIOMO, *bas au duc*: Cela est singulier, au moins; la cotte de mailles est enlevée.

LE DUC: On la retrouvera.

Il s'assoit à côté de Lorenzo.

GIOMO, *à part*: Quitter la compagnie pour aller cracher dans le puits, cela n'est pas naturel. Je voudrais retrouver cette cotte de mailles, pour m'ôter de la tête une vieille idée qui se rouille de temps en temps. Bah! un Lorenzac-cio! La cotte est sous quelque fauteuil.

Scène 7

Devant le palais.
Entre SALVIATI, *couvert de sang et boitant;*
deux hommes le soutiennent.

SALVIATI, *criant:* Alexandre de Médicis! ouvre ta fenêtre et regarde un peu comme on traite tes serviteurs!

ALEXANDRE, *à la fenêtre:* Qui est là dans la boue? Qui se traîne aux murailles de mon palais avec ces cris épouvantables?

SALVIATI: Les Strozzi m'ont assassiné; je vais mourir à ta porte.

LE DUC: Lesquels des Strozzi, et pourquoi?

SALVIATI: Parce que j'ai dit que leur sœur était amoureuse de toi, mon noble duc. Les Strozzi ont trouvé leur sœur insultée, parce que j'ai dit que tu lui plaisais; trois d'entre eux m'ont assassiné! J'ai reconnu Pierre et Thomas; je ne connais pas le troisième.

ALEXANDRE: Fais-toi monter ici. Par Hercule! les meurtriers passeront la nuit en prison, et on les pendra demain matin.

Salviati entre dans le palais.

Acte troisième

Scène I

La chambre à coucher de Lorenzo.
LORENZO, SCORONCONCOLO, *faisant des armes.*

SCORONCONCOLO : Maître, as-tu assez du jeu ?

LORENZO : Non, crie plus fort. Tiens, pare celle-ci ! tiens, meurs ! tiens, misérable !

SCORONCONCOLO : À l'assassin ! on me tue ! on me coupe la gorge !

LORENZO : Meurs ! meurs ! meurs ! Frappe donc du pied.

SCORONCONCOLO : À moi, mes archers ! au secours ! on me tue ! Lorenzo de l'enfer !

LORENZO : Meurs, infâme ! Je te saignerai, pourceau, je te saignerai ! Au cœur, au cœur ! il est éventré. — Crie donc, frappe donc, tue donc ! Ouvre-lui les entrailles ! Coupons-le par morceaux, et mangeons, mangeons ! J'en ai jusqu'au coude. Fouille dans la gorge, roule-le, roule ! Mordons, mordons, et mangeons !

Il tombe épuisé.

SCORONCONCOLO, *s'essuyant le front* : Tu as inventé un rude jeu, maître, et tu y vas en vrai tigre ; mille millions de

tonnerres! tu rugis comme une caverne pleine de pan-
thères et de lions.

LORENZO : Ô jour de sang, jour de mes noces! Ô soleil!
soleil! il y a assez longtemps que tu es sec comme le
plomb; tu te meurs de soif, soleil! son sang t'enivrera.
Ô ma vengeance! qu'il y a longtemps que tes ongles poussent! Ô dents d'Ugolin[1]! il vous faut le crâne, le crâne!

SCORONCONCOLO : Es-tu en délire! As-tu la fièvre?

LORENZO : Lâche, lâche — ruffian — le petit maigre, les
pères, les filles — des adieux, des adieux sans fin — les
rives de l'Arno pleines d'adieux! — Les gamins l'écrivent
sur les murs. — Ris, vieillard, ris dans ton bonnet blanc[2] —
tu ne vois pas que mes ongles poussent? — Ah! le crâne, le
crâne!

Il s'évanouit.

SCORONCONCOLO : Maître, tu as un ennemi. *(Il lui jette de
l'eau à la figure.)* Allons, maître, ce n'est pas la peine de tant
te démener. On a des sentiments élevés ou on n'en a pas;
je n'oublierai jamais que tu m'as fait avoir une certaine grâce
sans laquelle je serais loin[3]. Maître, si tu as un ennemi, dis-
le, et je t'en débarrasserai sans qu'il y paraisse autrement.

LORENZO : Ce n'est rien; je te dis que mon seul plaisir est
de faire peur à mes voisins.

SCORONCONCOLO : Depuis que nous trépignons dans
cette chambre, et que nous y mettons tout à l'envers, ils
doivent être bien accoutumés à notre tapage. Je crois que

---

1. Au XIIIᵉ siècle, le duc Ugolin, tyran de Pise, avait été enfermé
dans une tour, sur ordre de l'archevêque Ruggiero, avec ses fils et
petits-fils. Il aurait tenté de survivre en mangeant ses enfants. Dans le
chant XXXIII de *L'Enfer,* Dante décrit Ugolin rongeant inlassable-
ment le crâne de Ruggiero.
2. Lorenzo désigne l'archevêque Ruggiero, portant la tiare, bonnet de soie blanche.
3. La grâce obtenue par Lorenzo pour Scoronconcolo, condamné
à mort, selon Varchi (*Storia fiorentina*).

tu pourrais égorger trente hommes dans ce corridor, et les rouler sur ton plancher, sans qu'on s'aperçoive dans la maison qu'il s'y passe du nouveau. Si tu veux faire peur aux voisins, tu t'y prends mal. Ils ont eu peur la première fois, c'est vrai, mais maintenant ils se contentent d'enrager, et ne s'en mettent pas en peine jusqu'au point de quitter leurs fauteuils ou d'ouvrir leurs fenêtres.

LORENZO : Tu crois ?

SCORONCONCOLO : Tu as un ennemi, maître. Ne t'ai-je pas vu frapper du pied la terre, et maudire le jour de ta naissance ? N'ai-je pas des oreilles ? et, au milieu de tes fureurs, n'ai-je pas entendu résonner distinctement un petit mot bien net : la vengeance ? Tiens, maître, crois-moi, tu maigris — tu n'as plus le mot pour rire comme devant [1] — crois-moi, il n'y a rien de si mauvaise digestion qu'une bonne haine. Est-ce que sur deux hommes au soleil il n'y en a pas toujours un dont l'ombre gêne l'autre ? Ton médecin est dans ma gaine ; laisse-moi te guérir.

Il tire son épée.

LORENZO : Ce médecin-là t'a-t-il jamais guéri, toi ?

SCORONCONCOLO : Quatre ou cinq fois. Il y avait un jour à Padoue une petite demoiselle qui me disait...

LORENZO : Montre-moi cette épée. Ah ! garçon, c'est une brave lame.

SCORONCONCOLO : Essaye-la, et tu verras.

LORENZO : Tu as deviné mon mal — j'ai un ennemi. Mais pour lui je ne me servirai pas d'une épée qui ait servi pour d'autres. Celle qui le tuera n'aura ici-bas qu'un baptême ; elle gardera son nom.

SCORONCONCOLO : Quel est le nom de l'homme ?

LORENZO : Qu'importe ? m'es-tu dévoué ?

---

1. Comme avant.

SCORONCONCOLO: Pour toi, je remettrais le Christ en croix.

LORENZO: Je te le dis en confidence, — je ferai le coup dans cette chambre; et c'est précisément pour que mes chers voisins ne s'en étonnent pas que je les accoutume à ce bruit de tous les jours. Écoute bien, et ne te trompe pas. Si je l'abats du premier coup, ne t'avise pas de le toucher. Mais je ne suis pas plus gros qu'une puce, et c'est un sanglier. S'il se défend, je compte sur toi pour lui tenir les mains; rien de plus, entends-tu? c'est à moi qu'il appartient. Je t'avertirai en temps et lieu.

SCORONCONCOLO: Amen.

Scène 2

Au palais Strozzi. Entrent PHILIPPE *et* PIERRE.

PIERRE: Quand je pense à cela, j'ai envie de me couper la main droite. Avoir manqué cette canaille! Un coup si juste, et l'avoir manqué! À qui n'était-ce pas rendre service que de faire dire aux gens: il y a un Salviati de moins dans les rues? Mais le drôle a fait comme les araignées — il s'est laissé tomber en repliant ses pattes crochues, et il a fait le mort de peur d'être achevé.

PHILIPPE: Que t'importe qu'il vive? ta vengeance n'en est que plus complète. On le dit blessé de telle manière qu'il s'en souviendra toute sa vie.

PIERRE: Oui, je le sais bien, voilà comme vous voyez les choses. Tenez, mon père, vous êtes bon patriote, mais encore meilleur père de famille; ne vous mêlez pas de tout cela.

PHILIPPE: Qu'as-tu encore en tête? Ne saurais-tu vivre un quart d'heure sans penser à mal?

PIERRE: Non, par l'enfer! je ne saurais vivre un quart d'heure tranquille dans cet air empoisonné. Le ciel me pèse sur la tête comme une voûte de prison, et il me semble que je respire dans les rues des quolibets et des hoquets d'ivrognes. Adieu, j'ai affaire à présent.

PHILIPPE: Où vas-tu?

PIERRE: Pourquoi voulez-vous le savoir? Je vais chez les Pazzi.

PHILIPPE: Attends-moi donc, car j'y vais aussi.

PIERRE: Pas à présent, mon père, ce n'est pas un bon moment pour vous.

PHILIPPE: Parle-moi franchement.

PIERRE: Cela est entre nous. Nous sommes là une cinquantaine, les Ruccellaï et d'autres, qui ne portons pas le bâtard dans nos entrailles.

PHILIPPE: Ainsi donc?

PIERRE: Ainsi donc les avalanches se font quelquefois au moyen d'un caillou gros comme le bout du doigt.

PHILIPPE: Mais vous n'avez rien d'arrêté? pas de plan, pas de mesures prises? Ô enfants, enfants! jouer avec la vie et la mort! Des questions qui ont remué le monde! des idées qui ont blanchi des milliers de têtes, et qui les ont fait rouler comme des grains de sable sur les pieds du bourreau! des projets que la Providence elle-même regarde en silence et avec terreur, et qu'elle laisse achever à l'homme, sans oser y toucher! Vous parlez de tout cela en faisant des armes et en buvant un verre de vin d'Espagne, comme s'il s'agissait d'un cheval ou d'une mascarade! Savez-vous ce que c'est qu'une république, que l'artisan au fond de son atelier, que le laboureur dans son champ, que le citoyen sur la place, que la vie entière d'un royaume? le bonheur des hommes, Dieu de justice! Ô enfants, enfants! savez-vous compter sur vos doigts?

PIERRE : Un bon coup de lancette[1] guérit tous les maux.

PHILIPPE : Guérir ! guérir ! Savez-vous que le plus petit coup de lancette doit être donné par le médecin ? Savez-vous qu'il faut une expérience longue comme la vie, et une science grande comme le monde, pour tirer du bras d'un malade une goutte de sang ? N'étais-je pas offensé aussi, la nuit dernière, lorsque tu avais mis ton épée nue sous ton manteau ? Ne suis-je pas le père de ma Louise, comme tu es son frère ? N'était-ce pas une juste vengeance ? Et cependant sais-tu ce qu'elle m'a coûté ? Ah ! les pères savent cela, mais non les enfants. Si tu es père un jour, nous en parlerons.

PIERRE : Vous qui savez aimer, vous devriez savoir haïr.

PHILIPPE : Qu'ont donc fait à Dieu ces Pazzi ? Ils invitent leurs amis à venir conspirer, comme on invite à jouer aux dés, et leurs amis, en entrant dans leur cour, glissent dans le sang de leurs grands-pères. Quelle soif ont donc leurs épées ? Que voulez-vous donc, que voulez-vous ?

PIERRE : Et pourquoi vous démentir vous-même ? Ne vous ai-je pas entendu cent fois dire ce que nous disons ? Ne savons-nous pas ce qui vous occupe, quand vos domestiques voient à leur lever vos fenêtres éclairées des flambeaux de la veille ? Ceux qui passent les nuits sans dormir ne meurent pas silencieux.

PHILIPPE : Où en viendrez-vous ? réponds-moi.

PIERRE : Les Médicis sont une peste. Celui qui est mordu par un serpent n'a que faire d'un médecin ; il n'a qu'à se brûler la plaie.

PHILIPPE : Et quand vous aurez renversé ce qui est, que voulez-vous mettre à la place ?

PIERRE : Nous sommes toujours sûrs de ne pas trouver pire.

---

1. Lame utilisée en chirurgie pour la saignée.

PHILIPPE : Je vous le dis, comptez sur vos doigts.

PIERRE : Les têtes d'une hydre sont faciles à compter.

PHILIPPE : Et vous voulez agir ? cela est décidé ?

PIERRE : Nous voulons couper les jarrets aux meurtriers de Florence.

PHILIPPE : Cela est irrévocable ? vous voulez agir ?

PIERRE : Adieu, mon père, laissez-moi aller seul.

PHILIPPE : Depuis quand le vieil aigle reste-t-il dans le nid, quand ses aiglons vont à la curée ? Ô mes enfants ! ma brave et belle jeunesse ! vous qui avez la force que j'ai perdue, vous qui êtes aujourd'hui ce qu'était le jeune Philippe, laissez-le avoir vieilli pour vous ! Emmène-moi, mon fils, je vois que vous allez agir. Je ne vous ferai pas de longs discours, je ne dirai que quelques mots ; il peut y avoir quelque chose de bon dans cette tête grise — deux mots, et ce sera fait. Je ne radote pas encore, je ne vous serai pas à charge ; ne pars pas sans moi, mon enfant, attends que je prenne mon manteau.

PIERRE : Venez, mon noble père ; nous baiserons le bas de votre robe. Vous êtes notre patriarche, venez voir marcher au soleil les rêves de votre vie. La liberté est mûre ; venez, vieux jardinier de Florence, voir sortir de terre la plante que vous aimez.

Ils sortent.

Scène 3

Une rue. UN OFFICIER ALLEMAND *et des soldats.*
THOMAS STROZZI, *au milieu d'eux.*

L'OFFICIER : Si nous ne le trouvons pas chez lui, nous le trouverons chez les Pazzi.

THOMAS : Va ton train, et ne sois pas en peine ; tu sauras ce qu'il en coûte.

L'OFFICIER : Pas de menace ; j'exécute les ordres du duc, et n'ai rien à souffrir de personne.

THOMAS : Imbécile ! qui arrête un Strozzi sur la parole d'un Médicis !

Il se forme un groupe autour d'eux.

UN BOURGEOIS : Pourquoi arrêtez-vous ce seigneur ? Nous le connaissons bien, c'est le fils de Philippe.

UN AUTRE : Lâchez-le, nous répondons pour lui.

LE PREMIER : Oui, oui, nous répondons pour les Strozzi. Laisse-le aller, ou prends garde à tes oreilles.

L'OFFICIER : Hors de là, canaille ! laissez passer la justice du duc, si vous n'aimez pas les coups de hallebarde.

Pierre et Philippe arrivent.

PIERRE : Qu'y a-t-il ? quel est ce tapage ? Que fais-tu là, Thomas ?

LE BOURGEOIS : Empêche-le, Philippe, empêche-le d'emmener ton fils en prison.

PHILIPPE : En prison ? et sur quel ordre ?

L'OFFICIER : Qu'on saisisse cet homme !

Les soldats arrêtent Pierre.

PIERRE : Lâchez-moi, misérables, ou je vous éventre comme des pourceaux !

PHILIPPE : Sur quel ordre agissez-vous, monsieur ?

L'OFFICIER, *montrant l'ordre du duc* : Voilà mon mandat. J'ai ordre d'arrêter Pierre et Thomas Strozzi.

Les soldats repoussent le peuple qui leur jette des cailloux.

PIERRE : De quoi nous accuse-t-on ? qu'avons-nous fait ? Aidez-moi, mes amis, rossons cette canaille.

Il tire son épée. Un autre détachement de soldats arrive.

L'OFFICIER : Venez ici, prêtez-moi main-forte. (*Pierre est désarmé.*) En marche ! et le premier qui approche de trop près, un coup de pique dans le ventre ! Cela leur apprendra à se mêler de leurs affaires.

PIERRE : On n'a pas le droit de m'arrêter sans un ordre des Huit. Je me soucie bien des ordres d'Alexandre ! Où est l'ordre des Huit ?

L'OFFICIER : C'est devant eux que nous vous menons.

PIERRE : Si c'est devant eux, je n'ai rien à dire. De quoi suis-je accusé ?

UN HOMME DU PEUPLE : Comment, Philippe, tu laisses emmener tes enfants au tribunal des Huit ?

PIERRE : Répondez donc, de quoi suis-je accusé ?

L'OFFICIER : Cela ne me regarde pas.

Les soldats sortent avec Pierre et Thomas.

PIERRE, *en sortant* : N'ayez aucune inquiétude, mon père ; les Huit me renverront souper à la maison, et le bâtard en sera pour ses frais de justice.

PHILIPPE, *seul, s'asseyant sur un banc* : J'ai beaucoup d'enfants, mais pas pour longtemps, si cela va si vite. Où en sommes-nous donc si une vengeance aussi juste que le ciel que voilà est clair, est punie comme un crime ! Eh quoi ! les deux aînés d'une famille vieille comme la ville, emprisonnés comme des voleurs de grand chemin ! la plus grossière insulte châtiée, un Salviati frappé, seulement frappé, et des hallebardes en jeu ! Sors donc du fourreau, mon épée. Si le saint appareil des exécutions judiciaires devient la cuirasse des ruffians et des ivrognes, que la hache et le poignard, cette arme des assassins, protègent l'homme de bien. Ô Christ ! La justice devenue une entremetteuse ! L'honneur des Strozzi souffleté en place publique et un tribunal répondant des quolibets d'un rustre ! Un Salviati jetant à la plus noble famille de Florence son gant taché de vin et de sang, et, lorsqu'on

le châtie, tirant pour se défendre le coupe-tête du bourreau! Lumière du soleil! j'ai parlé, il n'y a pas un quart
d'heure, contre les idées de révolte, et voilà le pain qu'on
me donne à manger, avec mes paroles de paix sur les lèvres!
Allons, mes bras, remuez! et toi, vieux corps courbé par
l'âge et par l'étude, redresse-toi pour l'action!

Entre Lorenzo.

LORENZO: Demandes-tu l'aumône, Philippe, assis au coin
de cette rue?

PHILIPPE: Je demande l'aumône à la justice des hommes; je
suis un mendiant affamé de justice, et mon honneur est en
haillons.

LORENZO: Quel changement va donc s'opérer dans le
monde, et quelle robe nouvelle va revêtir la nature, si le
masque de la colère s'est posé sur le visage auguste et paisible du vieux Philippe? Ô mon père, quelles sont ces
plaintes? pour qui répands-tu sur la terre les joyaux les plus
précieux qu'il y ait sous le soleil, les larmes d'un homme
sans peur et sans reproche?

PHILIPPE: Il faut nous délivrer des Médicis, Lorenzo. Tu es
un Médicis toi-même, mais seulement par ton nom. Si je t'ai
bien connu, si la hideuse comédie que tu joues m'a trouvé
impassible et fidèle spectateur, que l'homme sorte de l'his-
trion[1]! Si tu as jamais été quelque chose d'honnête, sois-le
aujourd'hui. Pierre et Thomas sont en prison.

LORENZO: Oui, oui, je sais cela.

PHILIPPE: Est-ce là ta réponse? Est-ce là ton visage, homme
sans épée?

LORENZO: Que veux-tu? dis-le, et tu auras alors ma
réponse.

PHILIPPE: Agir! Comment, je n'en sais rien. Quel moyen

---

1. Acteur jouant des farces grossières, bouffon.

employer, quel levier mettre sous cette citadelle de mort, pour la soulever et la pousser dans le fleuve, quoi faire, que résoudre, quels hommes aller trouver, je ne puis le savoir encore, mais agir, agir, agir ! Ô Lorenzo, le temps est venu. N'es-tu pas diffamé, traité de chien et de sans-cœur ? Si je t'ai tenu en dépit de tout ma porte ouverte, ma main ouverte, mon cœur ouvert, parle, et que je voie si je me suis trompé. Ne m'as-tu pas parlé d'un homme qui s'appelle aussi Lorenzo, et qui se cache derrière le Lorenzo que voilà ? Cet homme n'aime-t-il pas sa patrie, n'est-il pas dévoué à ses amis ? Tu le disais, et je l'ai cru. Parle, parle, le temps est venu.

LORENZO : Si je ne suis pas tel que vous le désirez, que le soleil me tombe sur la tête !

PHILIPPE : Ami, rire d'un vieillard désespéré, cela porte malheur. Si tu dis vrai, à l'action ! J'ai de toi des promesses qui engageraient Dieu lui-même, et c'est sur ces promesses que je t'ai reçu. Le rôle que tu joues est un rôle de boue et de lèpre, tel que l'enfant prodigue ne l'aurait pas joué dans un jour de démence — et cependant je t'ai reçu. Quand les pierres criaient à ton passage, quand chacun de tes pas faisait jaillir des mares de sang humain, je t'ai appelé du nom sacré d'ami, je me suis fait sourd pour te croire, aveugle pour t'aimer ; j'ai laissé l'ombre de ta mauvaise réputation passer sur mon honneur, et mes enfants ont douté de moi en trouvant sur ma main la trace hideuse du contact de la tienne. Sois honnête, car je l'ai été ; agis, car tu es jeune, et je suis vieux.

LORENZO : Pierre et Thomas sont en prison ; est-ce là tout ?

PHILIPPE : Ô ciel et terre ! oui, c'est là tout — presque rien, deux enfants de mes entrailles qui vont s'asseoir au banc des voleurs — deux têtes que j'ai baisées autant de fois que j'ai de cheveux gris, et que je vais trouver demain matin clouées sur la porte de la forteresse — oui, c'est là tout, rien de plus, en vérité.

LORENZO : Ne me parle pas sur ce ton. Je suis rongé d'une tristesse auprès de laquelle la nuit la plus sombre est une lumière éblouissante.

Il s'assied près de Philippe.

PHILIPPE : Que je laisse mourir mes enfants, cela est impossible, vois-tu ! On m'arracherait les bras et les jambes, que, comme le serpent, les morceaux mutilés de Philippe se rejoindraient encore et se lèveraient pour la vengeance. Je connais si bien tout cela ! Les Huit ! un tribunal d'hommes de marbre ! une forêt de spectres sur laquelle passe de temps en temps le vent lugubre du doute qui les agite pendant une minute, pour se résoudre en un mot sans appel ! Un mot, un mot, ô conscience ! Ces hommes-là mangent, ils dorment, ils ont des femmes et des filles ! Ah ! qu'ils tuent, qu'ils égorgent, mais pas mes enfants, pas mes enfants !

LORENZO : Pierre est un homme ; il parlera, et il sera mis en liberté.

PHILIPPE : Ô mon Pierre, mon premier-né !

LORENZO : Rentrez chez vous, tenez-vous tranquille — ou faites mieux, quittez Florence. Je vous réponds de tout, si vous quittez Florence.

PHILIPPE : Moi, un banni ! moi dans un lit d'auberge à mon heure dernière ! Ô Dieu ! et tout cela pour une parole d'un Salviati !

LORENZO : Sachez-le, Salviati voulait séduire votre fille, mais non pas pour lui seul. Alexandre a un pied dans le lit de cet homme ; il y exerce le droit du seigneur sur la prostitution.

PHILIPPE : Et nous n'agirions pas ! Ô Lorenzo, Lorenzo ! tu es un homme ferme, toi ; parle-moi, je suis faible, et mon cœur est trop intéressé dans tout cela. Je m'épuise, vois-tu, j'ai trop réfléchi ici-bas, j'ai trop tourné sur moi-même, comme un cheval de pressoir — je ne vaux plus rien pour la bataille. Dis-moi ce que tu penses, je le ferai.

LORENZO : Rentrez chez vous, mon bon monsieur.

PHILIPPE : Voilà qui est certain, je vais aller chez les Pazzi. Là sont cinquante jeunes gens, tous déterminés. Ils ont juré d'agir ; je leur parlerai noblement, comme un Strozzi et comme un père, et ils m'entendront. Ce soir, j'inviterai à souper les quarante membres de ma famille ; je leur raconterai ce qui m'arrive. Nous verrons, nous verrons ! rien n'est encore fait. Que les Médicis prennent garde à eux ! Adieu, je vais chez les Pazzi ; aussi bien, j'y allais avec Pierre, quand on l'a arrêté.

LORENZO : Il y a plusieurs démons, Philippe. Celui qui te tente en ce moment n'est pas le moins à craindre de tous.

PHILIPPE : Que veux-tu dire ?

LORENZO : Prends-y garde, c'est un démon plus beau que Gabriel[1]. La liberté, la patrie, le bonheur des hommes, tous ces mots résonnent à son approche comme les cordes d'une lyre ; c'est le bruit des écailles d'argent de ses ailes flamboyantes. Les larmes de ses yeux fécondent la terre, et il tient à la main la palme des martyrs. Ses paroles épurent l'air autour de ses lèvres ; son vol est si rapide que nul ne peut dire où il va. Prends-y garde ! Une fois dans ma vie, je l'ai vu traverser les cieux. J'étais courbé sur mes livres — le toucher de sa main a fait frémir mes cheveux comme une plume légère. Que je l'aie écouté ou non, n'en parlons pas.

PHILIPPE : Je ne te comprends qu'avec peine, et je ne sais pourquoi j'ai peur de te comprendre.

LORENZO : N'avez-vous dans la tête que cela — délivrer

---

1. L'archange Gabriel annonça à Marie la venue au monde du Christ. Le « démon » est celui de l'action révolutionnaire.

vos fils ? Mettez la main sur la conscience. — Quelque autre pensée plus vaste, plus terrible, ne vous entraîne-t-elle pas, comme un chariot étourdissant, au milieu de cette jeunesse ?

PHILIPPE : Eh bien ! oui, que l'injustice faite à ma famille soit le signal de la liberté. Pour moi, et pour tous, j'irai !

LORENZO : Prends garde à toi, Philippe, tu as pensé au bonheur de l'humanité.

PHILIPPE : Que veut dire ceci ? Es-tu dedans comme au dehors une vapeur infecte ? Toi qui m'as parlé d'une liqueur précieuse dont tu étais le flacon, est-ce là ce que tu renfermes ?

LORENZO : Je suis en effet précieux pour vous, car je tuerai Alexandre.

PHILIPPE : Toi ?

LORENZO : Moi, demain ou après-demain. Rentrez chez vous, tâchez de délivrer vos enfants — si vous ne le pouvez pas, laissez-leur subir une légère punition — je sais pertinemment qu'il n'y a pas d'autres dangers pour eux, et je vous répète que, d'ici à quelques jours, il n'y aura pas plus d'Alexandre de Médicis à Florence, qu'il n'y a de soleil à minuit.

PHILIPPE : Quand cela serait vrai, pourquoi aurais-je tort de penser à la Liberté ? Ne viendra-t-elle pas quand tu auras fait ton coup, si tu le fais ?

LORENZO : Philippe, Philippe, prends garde à toi. Tu as soixante ans de vertu sur ta tête grise ; c'est un enjeu trop cher pour le jouer aux dés.

PHILIPPE : Si tu caches sous ces sombres paroles quelque chose que je puisse entendre, parle ; tu m'irrites singulièrement.

LORENZO : Tel que tu me vois, Philippe, j'ai été honnête. J'ai cru à la vertu, à la grandeur humaine, comme un martyr croit à son Dieu. J'ai versé plus de larmes sur la pauvre Italie, que Niobé[1] sur ses filles.

PHILIPPE : Eh bien, Lorenzo ?

LORENZO : Ma jeunesse a été pure comme l'or. Pendant vingt ans de silence, la foudre s'est amoncelée dans ma poitrine ; et il faut que je sois réellement une étincelle du tonnerre, car tout à coup, une certaine nuit que j'étais assis dans les ruines du Colisée antique[2], je ne sais pourquoi je me levai ; je tendis vers le ciel mes bras trempés de rosée, et je jurai qu'un des tyrans de ma patrie mourrait de ma main. J'étais un étudiant paisible, et je ne m'occupais alors que des arts et des sciences, et il m'est impossible de dire comment cet étrange serment s'est fait en moi. Peut-être est-ce là ce qu'on éprouve quand on devient amoureux.

PHILIPPE : J'ai toujours eu confiance en toi, et cependant je crois rêver.

LORENZO : Et moi aussi. J'étais heureux alors, j'avais le cœur et les mains tranquilles ; mon nom m'appelait au trône, et je n'avais qu'à laisser le soleil se lever et se coucher pour voir fleurir autour de moi toutes les espérances humaines. Les hommes ne m'avaient fait ni bien ni mal, mais j'étais bon, et, pour mon malheur éternel, j'ai voulu être grand. Il faut que je l'avoue, si la Providence m'a poussé à la résolution de tuer un tyran, quel qu'il fût, l'orgueil m'y a poussé aussi. Que te dirais-je de plus ? tous les Césars du monde me faisaient penser à Brutus.

PHILIPPE : L'orgueil de la vertu est un noble orgueil. Pourquoi t'en défendrais-tu ?

---

1. Mère de sept fils et sept filles, Niobé s'était moquée de Léto qui n'avait que deux enfants, Apollon et Artémis. Ceux-ci vengèrent leur mère offensée en tuant les enfants de Niobé. Elle fut changée en rocher d'où une source coula, symbole de ses pleurs éternels.

2. Amphithéâtre de 80 000 places construit à Rome sous Vespasien et achevé sous Titus en 80.

LORENZO: Tu ne sauras jamais, à moins d'être fou, de quelle nature est la pensée qui m'a travaillé. Pour comprendre l'exaltation fiévreuse qui a enfanté en moi le Lorenzo qui te parle, il faudrait que mon cerveau et mes entrailles fument à nu sous un scalpel. Une statue qui descendrait de son piédestal pour marcher parmi les hommes sur la place publique, serait peut-être semblable à ce que j'ai été, le jour où j'ai commencé à vivre avec cette idée : il faut que je sois un Brutus[1].

PHILIPPE: Tu m'étonnes de plus en plus.

LORENZO: J'ai voulu d'abord tuer Clément VII. Je n'ai pu le faire parce qu'on m'a banni de Rome avant le temps. J'ai recommencé mon ouvrage avec Alexandre. Je voulais agir seul, sans le secours d'aucun homme. Je travaillais pour l'humanité ; mais mon orgueil restait solitaire au milieu de tous mes rêves philanthropiques. Il fallait donc entamer par la ruse un combat singulier avec mon ennemi. Je ne voulais pas soulever les masses, ni conquérir la gloire bavarde d'un paralytique comme Cicéron[2]. Je voulais arriver à l'homme, me prendre corps à corps avec la tyrannie vivante, la tuer, porter mon épée sanglante sur la tribune, et laisser la fumée du sang d'Alexandre monter au nez des harangueurs, pour réchauffer leur cervelle ampoulée.

PHILIPPE: Quelle tête de fer as-tu, ami ! quelle tête de fer !

LORENZO: La tâche que je m'imposais était rude avec Alexandre. Florence était, comme aujourd'hui, noyée de vin et de sang. L'empereur et le pape avaient fait un duc d'un garçon boucher. Pour plaire à mon cousin, il fallait arriver à lui, porté par les larmes des familles ; pour devenir son ami,

---

1. Lorenzo admire à la fois le Brutus qui établit la République romaine (voir note 1, p. 57) et Marcus Junius Brutus, fils adoptif de Jules César, qu'il assassina en 44 avant J.-C.

2. Homme politique et orateur romain (106-43 avant J.-C). Il incarne ici la vaine éloquence, non suivie d'action.

et acquérir sa confiance, il fallait baiser sur ses lèvres épaisses tous les restes de ses orgies. J'étais pur comme un lis, et cependant je n'ai pas reculé devant cette tâche. Ce que je suis devenu à cause de cela, n'en parlons pas. Tu dois comprendre que j'ai souffert, et il y a des blessures dont on ne lève pas l'appareil [1] impunément. Je suis devenu vicieux, lâche, un objet de honte et d'opprobre — qu'importe? ce n'est pas de cela qu'il s'agit.

PHILIPPE: Tu baisses la tête, tes yeux sont humides.

LORENZO: Non, je ne rougis point; les masques de plâtre n'ont point de rougeur au service de la honte. J'ai fait ce que j'ai fait. Tu sauras seulement que j'ai réussi dans mon entreprise. Alexandre viendra bientôt dans un certain lieu d'où il ne sortira pas debout. Je suis au terme de ma peine, et sois certain, Philippe, que le buffle sauvage, quand le bouvier l'abat sur l'herbe, n'est pas entouré de plus de filets, de plus de nœuds coulants, que je n'en ai tissus [2] autour de mon bâtard. Ce cœur, jusques auquel une armée ne serait pas parvenue en un an, il est maintenant à nu sous ma main; je n'ai qu'à laisser tomber mon stylet pour qu'il y entre. Tout sera fait. Maintenant, sais-tu ce qui m'arrive, et ce dont je veux t'avertir?

PHILIPPE: Tu es notre Brutus, si tu dis vrai.

LORENZO: Je me suis cru un Brutus, mon pauvre Philippe; je me suis souvenu du bâton d'or couvert d'écorce [3]. Maintenant je connais les hommes, et je te conseille de ne pas t'en mêler.

PHILIPPE: Pourquoi?

---

1. Ici, pansement.
2. Participe passé du verbe « tistre », ancienne forme du verbe « tisser ».
3. Brutus l'Ancien, contrefaisant la folie, avait offert à Apollon de Delphes un bâton d'or caché dans une branche creuse de cornouiller, métaphore de son esprit. Tite-Live, *Histoire de Rome*, I, LVI.

LORENZO : Ah ! vous avez vécu tout seul, Philippe. Pareil à un fanal éclatant, vous êtes resté immobile au bord de l'océan des hommes, et vous avez regardé dans les eaux la réflexion de votre propre lumière. Du fond de votre solitude, vous trouviez l'océan magnifique sous le dais splendide des cieux. Vous ne comptiez pas chaque flot, vous ne jetiez pas la sonde ; vous étiez plein de confiance dans l'ouvrage de Dieu. Mais moi, pendant ce temps-là, j'ai plongé — je me suis enfoncé dans cette mer houleuse de la vie — j'en ai parcouru toutes les profondeurs, couvert de ma cloche de verre — tandis que vous admiriez la surface, j'ai vu les débris des naufrages, les ossements et les Léviathans [1].

PHILIPPE : Ta tristesse me fend le cœur.

LORENZO : C'est parce que je vous vois tel que j'ai été, et sur le point de faire ce que j'ai fait, que je vous parle ainsi. Je ne méprise point les hommes ; le tort des livres et des historiens est de nous les montrer différents de ce qu'ils sont. La vie est comme une cité — on peut y rester cinquante ou soixante ans sans voir autre chose que des promenades et des palais — mais il ne faut pas entrer dans les tripots [2], ni s'arrêter, en rentrant chez soi, aux fenêtres des mauvais quartiers. Voilà mon avis, Philippe. — S'il s'agit de sauver tes enfants, je te dis de rester tranquille ; c'est le meilleur moyen pour qu'on te les renvoie après une petite semonce. — S'il s'agit de tenter quelque chose pour les hommes, je te conseille de te couper les bras, car tu ne seras pas longtemps à t'apercevoir qu'il n'y a que toi qui en aies.

PHILIPPE : Je conçois que le rôle que tu joues t'ait donné de pareilles idées. Si je te comprends bien, tu as pris, dans un

---

1. Monstres marins évoqués dans la Bible (*Livre de Job*).
2. Maisons de jeux.

but sublime, une route hideuse, et tu crois que tout ressemble à ce que tu as vu.

LORENZO : Je me suis réveillé de mes rêves, rien de plus ; je te dis le danger d'en faire. Je connais la vie, et c'est une vilaine cuisine, sois-en persuadé, ne mets pas la main là-dedans, si tu respectes quelque chose.

PHILIPPE : Arrête ! ne brise pas comme un roseau mon bâton de vieillesse. Je crois à tout ce que tu appelles des rêves ; je crois à la vertu, à la pudeur et à la liberté.

LORENZO : Et me voilà dans la rue, moi, Lorenzaccio ? et les enfants ne me jettent pas de la boue ? Les lits des filles sont encore chauds de ma sueur, et les pères ne prennent pas, quand je passe, leurs couteaux et leurs balais pour m'assommer ? Au fond de ces dix mille maisons que voilà, la septième génération parlera encore de la nuit où j'y suis entré, et pas une ne vomit à ma vue un valet de charrue qui me fende en deux comme une bûche pourrie ? L'air que vous respirez, Philippe, je le respire ; mon manteau de soie bariolé traîne paresseusement sur le sable fin des promenades ; pas une goutte de poison ne tombe dans mon chocolat[1] — que dis-je ? ô Philippe ! les mères pauvres soulèvent honteusement le voile de leurs filles quand je m'arrête au seuil de leurs portes ; elles me laissent voir leur beauté avec un sourire plus vil que le baiser de Judas[2] — tandis que moi, pinçant le menton de la petite, je serre les poings de rage en remuant dans ma poche quatre ou cinq méchantes pièces d'or.

PHILIPPE : Que le tentateur ne méprise pas le faible ; pourquoi tenter lorsque l'on doute ?

LORENZO : Suis-je un Satan ? Lumière du ciel ! je m'en sou-

---

1. Anachronisme, le chocolat n'est connu en Europe qu'à la fin du XVIe siècle.
2. Baiser perfide du traître.

viens encore; j'aurais pleuré avec la première fille que j'ai séduite, si elle ne s'était mise à rire. Quand j'ai commencé à jouer mon rôle de Brutus moderne, je marchais dans mes habits neufs de la grande confrérie du vice, comme un enfant de dix ans dans l'armure d'un géant de la fable. Je croyais que la corruption était un stigmate, et que les monstres seuls le portaient au front. J'avais commencé à dire tout haut que mes vingt années de vertu étaient un masque étouffant — ô Philippe! j'entrai alors dans la vie, et je vis qu'à mon approche tout le monde en faisait autant que moi; tous les masques tombaient devant mon regard; l'Humanité souleva sa robe, et me montra, comme à un adepte digne d'elle, sa monstrueuse nudité. J'ai vu les hommes tels qu'ils sont, et je me suis dit: Pour qui est-ce donc que je travaille? Lorsque je parcourais les rues de Florence, avec mon fantôme à mes côtés, je regardais autour de moi, je cherchais les visages qui me donnaient du cœur, et je me demandais: Quand j'aurai fait mon coup, celui-là en profitera-t-il? — J'ai vu les républicains dans leurs cabinets, je suis entré dans les boutiques, j'ai écouté et j'ai guetté. J'ai recueilli les discours des gens du peuple, j'ai vu l'effet que produisait sur eux la tyrannie; j'ai bu, dans les banquets patriotiques[1], le vin qui engendre la métaphore et la prosopopée[2], j'ai avalé entre deux baisers les larmes les plus vertueuses; j'attendais toujours que l'Humanité me laissât voir sur sa face quelque chose d'honnête. J'observais... comme un amant observe sa fiancée, en attendant le jour des noces!...

PHILIPPE: Si tu n'as vu que le mal, je te plains, mais je ne puis te croire. Le mal existe, mais non pas sans le bien, comme l'ombre existe, mais non sans la lumière.

---

1. Allusion anachronique aux banquets républicains sous la Restauration et la monarchie de Juillet.
2. Figure de style qui consiste à faire parler un absent, un mort, un animal ou une chose personnifiée.

LORENZO : Tu ne veux voir en moi qu'un mépriseur d'hommes ! c'est me faire injure. Je sais parfaitement qu'il y en a de bons, mais à quoi servent-ils ? que font-ils ? comment agissent-ils ? Qu'importe que la conscience soit vivante, si le bras est mort ? Il y a de certains côtés par où tout devient bon : un chien est un ami fidèle ; on peut trouver en lui le meilleur des serviteurs, comme on peut voir aussi qu'il se roule sur les cadavres, et que la langue avec laquelle il lèche son maître sent la charogne d'une lieue. Tout ce que j'ai à voir, moi, c'est que je suis perdu, et que les hommes n'en profiteront pas plus qu'ils ne me comprendront.

PHILIPPE : Pauvre enfant, tu me navres le cœur ! Mais si tu es honnête, quand tu auras délivré ta patrie, tu le redeviendras. Cela réjouit mon vieux cœur, Lorenzo, de penser que tu es honnête ; alors tu jetteras ce déguisement hideux qui te défigure, et tu redeviendras d'un métal aussi pur que les statues de bronze d'Harmodius et d'Aristogiton [1].

LORENZO : Philippe, Philippe, j'ai été honnête. La main qui a soulevé une fois le voile de la vérité ne peut plus le laisser retomber ; elle reste immobile jusqu'à la mort, tenant toujours ce voile terrible, et l'élevant de plus en plus au-dessus de la tête de l'homme, jusqu'à ce que l'Ange du sommeil éternel lui bouche les yeux.

PHILIPPE : Toutes les maladies se guérissent, et le vice est aussi une maladie.

LORENZO : Il est trop tard — je me suis fait à mon métier. Le vice a été pour moi un vêtement, maintenant il est collé à ma peau. Je suis vraiment un ruffian, et quand je plaisante sur mes pareils, je me sens sérieux comme la Mort au

---

1. Assassins en 514 avant J.-C. du tyran d'Athènes Hipparque. Ils furent exécutés. Leurs compatriotes leur élevèrent des statues comme à des libérateurs.

milieu de ma gaieté. Brutus [1] a fait le fou pour tuer Tarquin, et ce qui m'étonne en lui, c'est qu'il n'y ait pas laissé sa raison. Profite de moi, Philippe, voilà ce que j'ai à te dire — ne travaille pas pour ta patrie.

PHILIPPE : Si je te croyais, il me semble que le ciel s'obscurcirait pour toujours, et que ma vieillesse serait condamnée à marcher à tâtons. Que tu aies pris une route dangereuse, cela peut être ; pourquoi ne pourrais-je en prendre une autre qui me mènerait au même point ? Mon intention est d'en appeler au peuple, et d'agir ouvertement.

LORENZO : Prends garde à toi. Philippe, celui qui te le dit sait pourquoi il le dit. Prends le chemin que tu voudras, tu auras toujours affaire aux hommes.

PHILIPPE : Je crois à l'honnêteté des républicains.

LORENZO : Je te fais une gageure. Je vais tuer Alexandre ; une fois mon coup fait, si les républicains se comportent comme ils le doivent, il leur sera facile d'établir une république, la plus belle qui ait jamais fleuri sur la terre. Qu'ils aient pour eux le peuple, et tout est dit. — Je te gage que ni eux ni le peuple ne feront rien. Tout ce que je te demande, c'est de ne pas t'en mêler ; parle, si tu le veux, mais prends garde à tes paroles, et encore plus à tes actions. Laisse-moi faire mon coup — tu as les mains pures, et moi, je n'ai rien à perdre.

PHILIPPE : Fais-le, et tu verras.

LORENZO : Soit — mais souviens-toi de ceci. Vois-tu, dans cette petite maison, cette famille assemblée autour d'une table ? ne dirait-on pas des hommes ? Ils ont un corps, et une âme dans ce corps. Cependant, s'il me prenait envie d'entrer chez eux, tout seul, comme me voilà et de poignarder leur fils aîné au milieu d'eux, il n'y aurait pas un couteau de levé sur moi.

---

1. « Brutus » : confusion avec le meurtrier de César. Brutus l'Ancien n'a fait que chasser Tarquin. Voir note 1, p. 57.

PHILIPPE : Tu me fais horreur. Comment le cœur peut-il rester grand, avec des mains comme les tiennes ?

LORENZO : Viens, rentrons à ton palais, et tâchons de délivrer tes enfants.

PHILIPPE : Mais pourquoi tueras-tu le duc, si tu as des idées pareilles ?

LORENZO : Pourquoi ? tu le demandes ?

PHILIPPE : Si tu crois que c'est un meurtre inutile à ta patrie, pourquoi le commets-tu ?

LORENZO : Tu me demandes cela en face ? Regarde-moi un peu. J'ai été beau, tranquille et vertueux.

PHILIPPE : Quel abîme ! quel abîme tu m'ouvres !

LORENZO : Tu me demandes pourquoi je tue Alexandre ? Veux-tu donc que je m'empoisonne, ou que je saute dans l'Arno ? veux-tu donc que je sois un spectre, et qu'en frappant sur ce squelette... *(Il frappe sa poitrine)* il n'en sorte aucun son ? Si je suis l'ombre de moi-même, veux-tu donc que je rompe le seul fil qui rattache aujourd'hui mon cœur à quelques fibres de mon cœur d'autrefois ? Songes-tu que ce meurtre, c'est tout ce qui me reste de ma vertu ? Songes-tu que je glisse depuis deux ans sur un rocher taillé à pic, et que ce meurtre est le seul brin d'herbe où j'aie pu cramponner mes ongles ? Crois-tu donc que je n'aie plus d'orgueil, parce que je n'ai plus de honte, et veux-tu que je laisse mourir en silence l'énigme de ma vie ? Oui, cela est certain, si je pouvais revenir à la vertu, si mon apprentissage du vice pouvait s'évanouir, j'épargnerais peut-être ce conducteur de bœufs — mais j'aime le vin, le jeu et les filles, comprends-tu cela ? Si tu honores en moi quelque chose, toi qui me parles, c'est mon meurtre que tu honores, peut-être justement parce que tu ne le ferais pas. Voilà assez longtemps, vois-tu, que les républicains me couvrent de boue et d'infamie ; voilà assez longtemps que les oreilles me tintent, et que l'exécration des hommes empoisonne le pain que je mâche. J'en ai assez de me voir conspué par des lâches sans nom, qui m'accablent d'injures pour se dispenser de m'assommer, comme ils le devraient. J'en ai assez d'entendre brailler en plein vent le bavardage humain; il faut que le monde sache un peu qui je suis, et qui il est. Dieu merci, c'est peut-être demain que je tue Alexandre; dans deux jours j'aurai fini. Ceux qui tournent autour de moi avec des yeux louches, comme autour d'une curiosité monstrueuse apportée d'Amérique, pourront satisfaire leur gosier, et vider leur sac à paroles. Que les hommes me comprennent ou non, qu'ils agissent ou n'agissent pas, j'aurai dit tout ce que j'ai à dire; je leur ferai tailler leurs plumes, si je ne leur fais pas nettoyer leurs piques, et l'Humanité gardera sur sa joue le soufflet de mon épée marquée en traits de sang. Qu'ils m'appellent comme ils voudront, Brutus ou Érostrate[1], il ne me plaît pas qu'ils m'oublient. Ma vie entière est au bout de ma dague, et que la Providence retourne ou non la tête en m'entendant frapper, je jette la nature humaine à pile ou face sur la tombe d'Alexandre — dans deux jours, les hommes comparaîtront devant le tribunal de ma volonté.

PHILIPPE: Tout cela m'étonne, et il y a dans tout ce que tu m'as dit des choses qui me font peine, et d'autres qui me font plaisir. Mais Pierre et Thomas sont en prison, et je ne saurais là-dessus m'en fier à personne qu'à moi-même. C'est en vain que ma colère voudrait ronger son frein; mes entrailles sont émues trop vivement. Tu peux avoir raison, mais il faut que j'agisse; je vais rassembler mes parents.

LORENZO: Comme tu voudras, mais prends garde à toi. Garde-moi le secret, même avec tes amis, c'est tout ce que je te demande.

Ils sortent.

---

1. Cet Éphésien obscur incendia le temple d'Artémis, une des Sept Merveilles du monde, pour rendre son nom immortel.

Scène 4

Au palais Soderini.
Entre CATHERINE, *lisant un billet.*

« Lorenzo a dû vous parler de moi, mais qui pourrait vous parler dignement d'un amour pareil au mien ? Que ma plume vous apprenne ce que ma bouche ne peut vous dire, et ce que mon cœur voudrait signer de son sang.

ALEXANDRE DE MÉDICIS. »

Si mon nom n'était pas sur l'adresse, je croirais que le messager s'est trompé, et ce que je lis me fait douter de mes yeux. *(Entre Marie.)* Ô ma mère chérie ! voilà ce qu'on m'écrit ; expliquez-moi, si vous pouvez, ce mystère.

MARIE : Malheureuse ! malheureuse ! il t'aime ! Où t'a-t-il vue ? où lui as-tu parlé ?

CATHERINE : Nulle part ; un messager m'a apporté cela comme je sortais de l'église.

MARIE : Lorenzo, dit-il, a dû te parler de lui ! Ah ! Catherine, avoir un fils pareil ! Oui, faire de la sœur de sa mère la maîtresse du duc, non pas même la maîtresse, ô ma fille ! Quels noms portent ces créatures ? Je ne puis le dire — oui, il manquait cela à Lorenzo. Viens, je veux lui porter cette lettre ouverte, et savoir, devant Dieu, comment il répondra.

CATHERINE : Je croyais que le duc aimait... pardon, ma mère... mais je croyais que le duc aimait la comtesse Cibo... on me l'avait dit...

MARIE : Cela est vrai, il l'a aimée, s'il peut aimer.

CATHERINE : Il ne l'aime plus ? Ah ! comment peut-on offrir sans honte un cœur pareil ! Venez, ma mère, venez chez Lorenzo.

MARIE : Donne-moi ton bras. Je ne sais ce que j'éprouve

depuis quelques jours, j'ai eu la fièvre toutes les nuits — il est vrai que, depuis trois mois, elle ne me quitte guère. J'ai trop souffert, ma pauvre Catherine; pourquoi m'as-tu lu cette lettre? Je ne puis plus rien supporter. Je ne suis plus jeune, et cependant il me semble que je le redeviendrais à certaines conditions; mais tout ce que je vois m'entraîne vers la tombe. Allons, soutiens-moi, pauvre enfant, je ne te donnerai pas longtemps cette peine.

Elles sortent.

Scène 5

Chez la marquise.

LA MARQUISE, *parée, devant un miroir*: Quand je pense que cela est, cela me fait l'effet d'une nouvelle qu'on m'apprendrait tout à coup. Quel précipice que la vie! Comment! il est déjà neuf heures, et c'est le duc que j'attends dans cette toilette! N'importe, advienne que pourra, je veux essayer mon pouvoir.

Entre le cardinal.

LE CARDINAL: Quelle parure, marquise! voilà des fleurs qui embaument.

LA MARQUISE: Je ne puis vous recevoir, cardinal — j'attends une amie — vous m'excuserez.

LE CARDINAL: Je vous laisse, je vous laisse. Ce boudoir dont j'aperçois la porte entrouverte là-bas, c'est un petit paradis. Irai-je vous y attendre?

LA MARQUISE: Je suis pressée, pardonnez-moi — non — pas dans mon boudoir — où vous voudrez.

LE CARDINAL: Je reviendrai dans un moment plus favorable.

Il sort.

LA MARQUISE: Pourquoi toujours le visage de ce prêtre? Quels cercles décrit donc autour de moi ce vautour à tête chauve, pour que je le trouve sans cesse derrière moi quand je me retourne? Est-ce que l'heure de ma mort serait proche? *(Entre un page qui lui parle à l'oreille.)* C'est bon, j'y vais. Ah! ce métier de servante, tu n'y es pas fait, pauvre cœur orgueilleux.

Elle sort.

Scène 6

Le boudoir de la marquise.
LA MARQUISE, LE DUC

LA MARQUISE: C'est ma façon de penser — je t'aimerais ainsi.

LE DUC: Des mots, des mots, et rien de plus.

LA MARQUISE: Vous autres hommes, cela est si peu pour vous! Sacrifier le repos de ses jours, la sainte chasteté de l'honneur, quelquefois ses enfants même, — ne vivre que pour un seul être au monde — se donner, enfin, se donner, puisque cela s'appelle ainsi! Mais cela n'en vaut pas la peine! à quoi bon écouter une femme? une femme qui parle d'autre chose que de chiffons et de libertinage, cela ne se voit pas!

LE DUC: Vous rêvez tout éveillée.

LA MARQUISE: Oui, par le ciel! oui, j'ai fait un rêve — hélas! les rois seuls n'en font jamais — toutes les chimères de leurs caprices se transforment en réalités, et leurs cauchemars eux-mêmes se changent en marbre. Alexandre! Alexandre! quel mot que celui-là: Je peux si je veux! — Ah! Dieu lui-même n'en sait pas plus! — Devant ce mot, les mains des peuples se joignent dans une prière craintive, et le pâle troupeau des hommes retient son haleine pour écouter.

LE DUC : N'en parlons plus, ma chère, cela est fatigant.

LA MARQUISE : Être un roi, sais-tu ce que c'est ? Avoir au bout de son bras cent mille mains ! Être le rayon de soleil qui sèche les larmes des hommes ! Être le bonheur et le malheur ! Ah ! quel frisson mortel cela donne ! Comme il tremblerait, ce vieux du Vatican [1], si tu ouvrais tes ailes, toi, mon aiglon ! César est si loin ! la garnison t'est si dévouée ! Et, d'ailleurs, on égorge une armée, mais l'on n'égorge pas un peuple. Le jour où tu auras pour toi la nation tout entière, où tu seras la tête d'un corps libre, où tu diras : « Comme le doge de Venise épouse l'Adriatique [2], ainsi je mets mon anneau d'or au doigt de ma belle Florence, et ses enfants sont mes enfants... » Ah ! sais-tu ce que c'est qu'un peuple qui prend son bienfaiteur dans ses bras ? Sais-tu ce que c'est que d'être montré par un père à son enfant ?

LE DUC : Je me soucie de l'impôt ; pourvu qu'on le paye, que m'importe ?

LA MARQUISE : Mais enfin, on t'assassinera. — Les pavés [3] sortiront de terre et t'écraseront. Ah ! la Postérité ! N'as-tu jamais vu ce spectre-là au chevet de ton lit ? Ne t'es-tu jamais demandé ce que penseront de toi ceux qui sont dans le ventre des vivants ? Et tu vis, toi — il est encore temps ! Tu n'as qu'un mot à dire. Te souviens-tu du père de la patrie ? Va, cela est facile d'être un grand roi, quand on est roi. Déclare Florence indépendante, réclame l'exécution du traité avec l'empire [4], tire ton épée, et montre-la — ils te

---

1. Le pape Paul III est alors âgé de soixante-neuf ans.
2. Lors de la fête de l'Ascension à Venise, le doge célébrait les noces de la cité avec la mer Adriatique en y jetant un anneau d'or du haut de sa galère dorée, le *Bucentaure*.
3. Allusion anachronique aux pavés des émeutes parisiennes au début de la monarchie de Juillet.
4. Sur le traité de capitulation de 1530, voir note 1, p. 18.

diront de la remettre au fourreau, que ses éclairs leur font mal aux yeux. Songe donc comme tu es jeune! Rien n'est décidé sur ton compte. — Il y a dans le cœur des peuples de larges indulgences pour les princes, et la reconnaissance publique est un profond fleuve d'oubli pour leurs fautes passées. On t'a mal conseillé, on t'a trompé — mais il est encore temps — tu n'as qu'à dire — tant que tu es vivant, la page n'est pas tournée dans le livre de Dieu.

LE DUC : Assez, ma chère, assez.

LA MARQUISE : Ah! quand elle le sera! quand un misérable jardinier, payé à la journée, viendra arroser à contre-cœur quelques chétives marguerites autour du tombeau d'Alexandre — quand les pauvres respireront gaiement l'air du ciel, et n'y verront plus planer le sombre météore de ta puissance — quand ils parleront de toi en secouant la tête — quand ils compteront autour de ta tombe les tombes de leurs parents — es-tu sûr de dormir tranquille dans ton dernier sommeil? — Toi qui ne vas pas à la messe, et qui ne tiens qu'à l'impôt, es-tu sûr que l'Éternité soit sourde, et qu'il n'y ait pas un écho de la vie dans le séjour hideux des trépassés? Sais-tu où vont les larmes des peuples, quand le vent les emporte?

LE DUC : Tu as une jolie jambe.

LA MARQUISE : Écoute-moi. Tu es étourdi, je le sais, mais tu n'es pas méchant; non, sur Dieu, tu ne l'es pas, tu ne peux pas l'être. Voyons, fais-toi violence — réfléchis un instant, un seul instant, à ce que je te dis. N'y a-t-il rien dans tout cela? Suis-je décidément une folle?

LE DUC : Tout cela me passe bien par la tête, mais qu'est-ce que je fais donc de si mal? Je vaux bien mes voisins; je vaux, ma foi, mieux que le pape. Tu me fais penser aux Strozzi avec tous tes discours — et tu sais que je les déteste. Tu veux que je me révolte contre César — César est mon beau-père[1], ma chère amie. Tu te figures que les Florentins ne m'aiment pas — je suis sûr qu'ils m'aiment, moi. Eh! parbleu, quand tu aurais raison, de qui veux-tu que j'aie peur?

LA MARQUISE : Tu n'as pas peur de ton peuple — mais tu as peur de l'empereur. Tu as tué ou déshonoré des centaines de citoyens, et tu crois avoir tout fait quand tu mets une cotte de mailles sous ton habit.

LE DUC : Paix! point de ceci.

LA MARQUISE : Ah! je m'emporte, je dis ce que je ne veux pas dire. Mon ami, qui ne sait pas que tu es brave? Tu es brave comme tu es beau. Ce que tu as fait de mal, c'est ta jeunesse, c'est ta tête — que sais-je, moi? c'est le sang qui coule violemment dans ces veines brûlantes, c'est ce soleil étouffant qui nous pèse. — Je t'en supplie, que je ne sois pas perdue sans ressource; que mon nom, que mon pauvre amour pour toi ne soit pas inscrit sur une liste infâme. Je suis une femme, c'est vrai, et si la beauté est tout pour les femmes, bien d'autres valent mieux que moi. Mais n'as-tu rien, dis-moi — dis-moi donc, toi! voyons! n'as-tu donc rien, rien là?

Elle lui frappe le cœur.

LE DUC : Quel démon! Assieds-toi donc là, ma petite.

LA MARQUISE : Eh bien! oui, je veux bien l'avouer, oui, j'ai de l'ambition, non pas pour moi — mais toi! toi, et ma chère Florence! — Ô Dieu! tu m'es témoin de ce que je souffre!

LE DUC : Tu souffres? qu'est-ce que tu as?

LA MARQUISE : Non, je ne souffre pas. Écoute! écoute! Je vois que tu t'ennuies auprès de moi. Tu comptes les moments, tu détournes la tête — ne t'en va pas encore —

---

1. Alexandre a épousé en 1536 la très jeune princesse Marguerite d'Autriche, fille naturelle de Charles Quint.

c'est peut-être la dernière fois que je te vois. Écoute! je te dis que Florence t'appelle sa peste nouvelle, et qu'il n'y a pas une chaumière où ton portrait ne soit collé sur les murailles, avec un coup de couteau dans le cœur. Que je sois folle, que tu me haïsses demain, que m'importe? tu sauras cela.

LE DUC: Malheur à toi, si tu joues avec ma colère!

LA MARQUISE: Oui, malheur à moi! malheur à moi!

LE DUC: Une autre fois — demain matin, si tu veux — nous pourrons nous revoir, et parler de cela. Ne te fâche pas, si je te quitte à présent; il faut que j'aille à la chasse.

LA MARQUISE: Oui, malheur à moi! malheur à moi!

LE DUC: Pourquoi? Tu as l'air sombre comme l'enfer. Pourquoi diable aussi te mêles-tu de politique? Allons, allons, ton petit rôle de femme, et de vraie femme, te va si bien. Tu es trop dévote; cela se formera. Aide-moi donc à remettre mon habit; je suis tout débraillé.

LA MARQUISE: Adieu, Alexandre.

> *Le duc l'embrasse. — Entre le cardinal.*

LE CARDINAL: Ah! — Pardon, Altesse, je croyais ma sœur toute seule. Je suis un maladroit; c'est à moi d'en porter la peine. Je vous supplie de m'excuser.

LE DUC: Comment l'entendez-vous? Allons donc, Malaspina, voilà qui sent le prêtre. Est-ce que vous devez voir ces choses-là? Venez donc, venez donc; que diable est-ce que cela vous fait?

> *Ils sortent ensemble.*

LA MARQUISE, *seule, tenant le portrait de son mari*: Où es-tu maintenant, Laurent? Il est midi passé. Tu te promènes sur la terrasse, devant les grands marronniers. Autour de toi paissent tes génisses grasses; tes garçons de ferme dînent à l'ombre. La pelouse soulève son manteau blanchâtre aux rayons du soleil; les arbres, entretenus par tes soins, murmurent religieusement sur la tête blanche de leur vieux maître, tandis que l'écho de nos longues arcades répète avec respect le bruit de ton pas tranquille. Ô mon Laurent! j'ai perdu le trésor de ton honneur, j'ai voué au ridicule et au doute les dernières années de ta noble vie. Tu ne presseras plus sur ta cuirasse un cœur digne du tien; ce sera une main tremblante qui t'apportera ton repas du soir quand tu rentreras de la chasse.

Scène 7

Chez les Strozzi.
LES QUARANTE STROZZI, *à souper.*

PHILIPPE: Mes enfants, mettons-nous à table.

LES CONVIVES: Pourquoi reste-t-il deux sièges vides?

PHILIPPE: Pierre et Thomas sont en prison.

LES CONVIVES: Pourquoi?

PHILIPPE: Parce que Salviati a insulté ma fille, que voilà, à la foire de Montolivet, publiquement, et devant son frère Léon. Pierre et Thomas ont tué Salviati[1], et Alexandre de Médicis les a fait arrêter pour venger la mort de son ruffian.

LES CONVIVES: Meurent les Médicis!

PHILIPPE: J'ai rassemblé ma famille pour lui raconter mes chagrins, et la prier de me secourir. Soupons, et sortons ensuite l'épée à la main pour redemander mes deux fils, si vous avez du cœur.

LES CONVIVES: C'est dit; nous voulons bien.

PHILIPPE: Il est temps que cela finisse, voyez-vous! On nous

---

1. Salviati n'a été que blessé (acte III, scène 2). Inadvertance de Musset.

tuerait nos enfants et on déshonorerait nos filles. Il est temps que Florence apprenne à ces bâtards ce que c'est que le droit de vie et de mort. Les Huit n'ont pas le droit de condamner mes enfants ; et moi, je n'y survivrais pas.

LES CONVIVES : N'aie pas peur, Philippe, nous sommes là.

PHILIPPE : Je suis le chef de la famille ; comment souffrirais-je qu'on m'insultât ? Nous sommes tout autant que les Médicis, les Ruccellaï tout autant, les Aldobrandini[1] et vingt autres. Pourquoi ceux-là pourraient-ils faire égorger nos enfants plutôt que nous les leurs ? Qu'on allume un tonneau de poudre dans les caves de la citadelle, et voilà la garnison allemande en déroute. Que reste-t-il à ces Médicis ? Là est leur force ; hors de là, ils ne sont rien. Sommes-nous des hommes ? Est-ce à dire qu'on abattra d'un coup de hache les nobles familles de Florence, et qu'on arrachera de la terre natale des racines aussi vieilles qu'elle ? C'est par nous qu'on commence, c'est à nous de tenir ferme. Notre premier cri d'alarme, comme le coup de sifflet de l'oiseleur, va rabattre sur Florence une armée tout entière d'aigles chassés du nid. Ils ne sont pas loin ; ils tournoient autour de la ville, les yeux fixés sur ses clochers. Nous y planterons le drapeau noir de la peste[2] ; ils accourront à ce signal de mort. Ce sont les couleurs de la colère céleste. Ce soir, allons d'abord délivrer nos fils ; demain nous irons tous ensemble, l'épée nue, à la porte de toutes les grandes familles. Il y a à Florence quatre-vingts palais, et de chacun d'eux sortira une troupe pareille à la nôtre, quand la Liberté y frappera.

LES CONVIVES : Vive la Liberté !

PHILIPPE : Je prends Dieu à témoin que c'est la violence qui me force à tirer l'épée, que je suis resté durant soixante ans

---

1. Grande famille noble.
2. Souvenir de la peste noire à Florence, en 1348.

bon et paisible citoyen, que je n'ai jamais fait de mal à qui que ce soit au monde, et que la moitié de ma fortune a été employée à secourir les malheureux.

LES CONVIVES : C'est vrai.

PHILIPPE : C'est une juste vengeance qui me pousse à la révolte, et je me fais rebelle parce que Dieu m'a fait père. Je ne suis poussé par aucun motif d'ambition, ni d'intérêt, ni d'orgueil. Ma cause est loyale, honorable et sacrée. Emplissez vos coupes et levez-vous. Notre vengeance est une hostie que nous pouvons briser sans crainte, et partager devant Dieu. Je bois à la mort des Médicis !

LES CONVIVES *se lèvent et boivent* : À la mort des Médicis !

LOUISE, *posant son verre* : Ah ! je vais mourir.

PHILIPPE : Qu'as-tu, ma fille, mon enfant bien-aimée ? qu'as-tu, mon Dieu ! que t'arrive-t-il ? Mon Dieu, mon Dieu, comme tu pâlis ! Parle, qu'as-tu ? parle à ton père. Au secours ! Au secours ! Un médecin ! Vite, vite, il n'est plus temps.

LOUISE : Je vais mourir, je vais mourir.

Elle meurt.

PHILIPPE : Elle s'en va, mes amis, elle s'en va ! Un médecin ! ma fille est empoisonnée !

Il tombe à genoux près de Louise.

UN CONVIVE : Coupez son corset ! faites-lui boire de l'eau tiède ; si c'est du poison, il faut de l'eau tiède.

Les domestiques accourent.

UN AUTRE CONVIVE : Frappez-lui dans les mains, ouvrez les fenêtres, et frappez-lui dans les mains.

UN AUTRE : Ce n'est peut-être qu'un étourdissement ; elle aura bu avec trop de précipitation.

UN AUTRE : Pauvre enfant ! comme ses traits sont calmes ! Elle ne peut pas être morte ainsi tout d'un coup.

PHILIPPE : Mon enfant ! es-tu morte, es-tu morte, Louise, ma fille bien-aimée ?

LE PREMIER CONVIVE : Voilà le médecin qui accourt.

Un médecin entre.

LE SECOND CONVIVE : Dépêchez-vous, monsieur ; dites-nous si c'est du poison.

PHILIPPE : C'est un étourdissement, n'est-ce pas ?

LE MÉDECIN : Pauvre jeune fille ! elle est morte.

Un profond silence règne dans la salle ; Philippe est toujours à genoux auprès de Louise et lui tient les mains.

UN DES CONVIVES : C'est du poison des Médicis. Ne laissons pas Philippe dans l'état où il est. Cette immobilité est effrayante.

UN AUTRE : Je suis sûr de ne pas me tromper. Il y avait autour de la table un domestique qui a appartenu à la femme de Salviati.

UN AUTRE : C'est lui qui a fait le coup, sans aucun doute. Sortons, et arrêtons-le.

Ils sortent.

LE PREMIER CONVIVE : Philippe ne veut pas répondre à ce qu'on lui dit ; il est frappé de la foudre.

UN AUTRE : C'est horrible ! C'est un meurtre inouï !

UN AUTRE : Cela crie vengeance au ciel ! Sortons, et allons égorger Alexandre.

UN AUTRE : Oui, sortons ; mort à Alexandre ! C'est lui qui a tout ordonné. Insensés que nous sommes ! ce n'est pas d'hier que date sa haine contre nous. Nous agissons trop tard.

UN AUTRE : Salviati n'en voulait pas à cette pauvre Louise pour son propre compte ; c'est pour le duc qu'il travaillait.

Allons, partons, quand on devrait nous tuer jusqu'au dernier.

PHILIPPE *se lève* : Mes amis, vous enterrerez ma pauvre fille, n'est-ce pas ? *(Il met son manteau)* dans mon jardin, derrière les figuiers. Adieu, mes bons amis ; adieu ; portez-vous bien.

UN CONVIVE : Où vas-tu, Philippe ?

PHILIPPE : J'en ai assez, voyez-vous ; j'en ai autant que j'en puis porter. J'ai mes deux fils en prison, et voilà ma fille morte. J'en ai assez, je m'en vais d'ici.

UN CONVIVE : Tu t'en vas ? tu t'en vas sans vengeance ?

PHILIPPE : Oui, oui. Ensevelissez seulement ma pauvre fille, mais ne l'enterrez pas, c'est à moi de l'enterrer. Je le ferai à ma façon, chez de pauvres moines que je connais, et qui viendront la chercher demain. À quoi sert-il de la regarder ? Elle est morte ; ainsi cela est inutile. Adieu, mes amis, rentrez chez vous, portez-vous bien.

UN CONVIVE : Ne le laissez pas sortir, il a perdu la raison.

UN AUTRE : Quelle horreur ! je me sens prêt à m'évanouir dans cette salle.

Il sort.

PHILIPPE : Ne me faites pas violence, ne m'enfermez pas dans une chambre où est le cadavre de ma fille — laissez-moi m'en aller.

UN CONVIVE : Venge-toi, Philippe, laisse-nous te venger. Que ta Louise soit notre Lucrèce[1] ! Nous ferons boire à Alexandre le reste de son verre.

UN AUTRE : La nouvelle Lucrèce ! Nous allons jurer sur son corps de mourir pour la liberté ! Rentre chez toi, Philippe, pense à ton pays ; ne rétracte pas tes paroles.

PHILIPPE : Liberté, vengeance, voyez-vous, tout cela est beau. J'ai deux fils en prison, et voilà ma fille morte. Si je

_____

1. « Notre Lucrèce » : voir note 1, p. 57.

reste ici, tout va mourir autour de moi ; l'important, c'est que je m'en aille, et que vous vous teniez tranquilles. Quand ma porte et mes fenêtres seront fermées, on ne pensera plus aux Strozzi ; si elles restent ouvertes, je m'en vais vous voir tomber tous les uns après les autres. Je suis vieux, voyez-vous, il est temps que je ferme ma boutique. Adieu, mes amis, restez tranquilles ; si je n'y suis plus, on ne vous fera rien. Je m'en vais de ce pas à Venise[1].

UN CONVIVE : Il fait un orage épouvantable ; reste ici cette nuit.

PHILIPPE : N'enterrez pas ma pauvre enfant ; mes vieux moines viendront demain, et ils l'emporteront. Dieu de justice ! Dieu de justice ! que t'ai-je fait ?

Il sort en courant.

_____

1. Philippe était en réalité déjà à Venise à la mort de Louise, en 1534.

Acte quatrième

Scène I

Au palais du duc. Entrent LE DUC *et* LORENZO.

LE DUC : J'aurais voulu être là ; il devait y avoir plus d'une face en colère. Mais je ne conçois pas qui a pu empoisonner cette Louise.

LORENZO : Ni moi non plus, à moins que ce ne soit vous.

LE DUC : Philippe doit être furieux ! On dit qu'il est parti pour Venise. Dieu merci, me voilà délivré de ce vieillard insupportable. Quant à la chère famille, elle aura la bonté de se tenir tranquille. Sais-tu qu'ils ont failli faire une petite révolution dans leur quartier. On m'a tué deux Allemands.

LORENZO : Ce qui me fâche le plus, c'est que cet honnête Salviati a une jambe coupée. Avez-vous retrouvé votre cotte de mailles ?

LE DUC : Non, en vérité ; j'en suis plus mécontent que je ne puis le dire.

LORENZO : Méfiez-vous de Giomo ; c'est lui qui vous l'a volée. Que portez-vous à la place ?

LE DUC : Rien. Je ne puis en supporter une autre ; il n'y en a pas d'aussi légère que celle-là.

LORENZO : Cela est fâcheux pour vous.

LE DUC : Tu ne me parles pas de ta tante.

LORENZO : C'est par oubli, car elle vous adore ; ses yeux ont perdu le repos depuis que l'astre de votre amour s'est levé dans son pauvre cœur. De grâce, seigneur, ayez quelque pitié pour elle ; dites quand vous voulez la recevoir, et à quelle heure il lui sera loisible de vous sacrifier le peu de vertu qu'elle a.

LE DUC : Parles-tu sérieusement ?

LORENZO : Aussi sérieusement que la Mort elle-même. Je voudrais voir qu'une tante à moi ne couchât pas avec vous.

LE DUC : Où pourrais-je la voir ?

LORENZO : Dans ma chambre, seigneur. Je ferai mettre des rideaux blancs à mon lit et un pot de réséda sur ma table ; après quoi je coucherai par écrit sur votre calepin que ma tante sera en chemise à minuit précis, afin que vous ne l'oubliiez pas après votre souper.

LE DUC : Je n'ai garde. Peste ! Catherine est un morceau de roi. Eh ! dis-moi, habile garçon, tu es vraiment sûr qu'elle viendra ? Comment t'y es-tu pris ?

LORENZO : Je vous dirai cela.

LE DUC : Je m'en vais voir un cheval que je viens d'acheter ; adieu et à ce soir. Viens me prendre après souper ; nous irons ensemble à ta maison. Quant à la Cibo, j'en ai par-dessus les oreilles ; hier encore, il a fallu l'avoir sur le dos pendant toute la chasse. Bonsoir, mignon.

Il sort.

LORENZO, seul : Ainsi c'est convenu. Ce soir je l'emmène chez moi, et demain les républicains verront ce qu'ils ont à faire, car le duc de Florence sera mort. Il faut que j'avertisse Scoronconcolo. Dépêche-toi, soleil, si tu es curieux des nouvelles que cette nuit te dira demain.

Il sort.

Scène 2

Une rue. PIERRE *et* THOMAS STROZZI,
sortant de prison.

PIERRE : J'étais bien sûr que les Huit me renverraient absous ;
et toi aussi. Viens, frappons à notre porte, et allons embrasser notre père. Cela est singulier, les volets sont fermés !

LE PORTIER, *ouvrant* : Hélas ! seigneur, vous savez les nouvelles.

PIERRE : Quelles nouvelles ? tu as l'air d'un spectre qui sort
d'un tombeau, à la porte de ce palais désert.

LE PORTIER : Est-il possible que vous ne sachiez rien ?

Deux moines arrivent.

THOMAS : Et que pourrions-nous savoir ? Nous sortons de
prison. Parle, qu'est-il arrivé ?

LE PORTIER : Hélas ! mes pauvres seigneurs ! cela est horrible à dire.

LES MOINES, *s'approchant* : Est-ce ici le palais des Strozzi ?

LE PORTIER : Oui ; que demandez-vous ?

LES MOINES : Nous venons chercher le corps de Louise
Strozzi. Voilà l'autorisation de Philippe, afin que vous nous
laissiez l'emporter.

PIERRE : Comment dites-vous ? Quel corps demandez-vous ?

LES MOINES : Éloignez-vous, mon enfant, vous portez sur
votre visage la ressemblance de Philippe ; il n'y a rien de bon
à apprendre ici pour vous.

THOMAS : Comment ? elle est morte ? morte ? ô Dieu du ciel !

Il s'assoit à l'écart.

PIERRE : Je suis plus ferme que vous ne pensez. Qui a tué ma
sœur ? car on ne meurt pas à son âge dans l'espace d'une

nuit, sans une cause extraordinaire. Qui l'a tuée, que je le tue ? Répondez-moi, ou vous êtes mort vous-même.

LE PORTIER : Hélas ! hélas ! qui peut le dire ? Personne n'en sait rien.

PIERRE : Où est mon père ? Viens, Thomas, point de larmes. Par le ciel ! mon cœur se serre comme s'il allait s'ossifier dans mes entrailles, et rester un rocher pour l'éternité.

LES MOINES : Si vous êtes le fils de Philippe, venez avec nous. Nous vous conduirons à lui ; il est depuis hier à notre couvent.

PIERRE : Et je ne saurai pas qui a tué ma sœur ? Écoutez-moi, prêtres ; si vous êtes l'image de Dieu, vous pouvez recevoir un serment. Par tout ce qu'il y a d'instruments de supplice sous le ciel, par les tortures de l'enfer... Non, je ne veux pas dire un mot. Dépêchons-nous, que je voie mon père. Ô Dieu ! ô Dieu ! faites que ce que je soupçonne soit la vérité, afin que je les broie sous mes pieds comme des grains de sable. Venez, venez, avant que je perde la force. Ne me dites pas un mot, il s'agit là d'une vengeance, voyez-vous, telle que la colère céleste n'en a pas rêvé.

Ils sortent.

Scène 3

Une rue. LORENZO, SCORONCONCOLO.

LORENZO : Rentre chez toi, et ne manque pas de venir à minuit ; tu t'enfermeras dans mon cabinet jusqu'à ce qu'on vienne t'avertir.

SCORONCONCOLO : Oui, monseigneur.

Il sort.

LORENZO, *seul* : De quel tigre a rêvé ma mère enceinte de moi ? Quand je pense que j'ai aimé les fleurs, les prairies et les sonnets de Pétrarque[1], le spectre de ma jeunesse se lève devant moi en frissonnant. Ô Dieu! pourquoi ce seul mot: «À ce soir», fait-il pénétrer jusque dans mes os cette joie brûlante comme un fer rouge? De quelles entrailles fauves, de quels velus embrassements suis-je donc sorti? Que m'avait fait cet homme? Quand je pose ma main là, sur mon cœur, et que je réfléchis, — qui donc m'entendra dire demain: «Je l'ai tué», sans me répondre: «Pourquoi l'as-tu tué?» Cela est étrange. Il a fait du mal aux autres, mais il m'a fait du bien, du moins à sa manière. Si j'étais resté tranquille au fond de mes solitudes de Cafaggiuolo[2], il ne serait pas venu m'y chercher, et moi je suis venu le chercher à Florence. Pourquoi cela? Le spectre de mon père me conduisait-il, comme Oreste, vers un nouvel Égisthe[3]? M'avait-il offensé alors? Cela est étrange, et cependant pour cette action j'ai tout quitté. La seule pensée de ce meurtre a fait tomber en poussière les rêves de ma vie; je n'ai plus été qu'une ruine, dès que ce meurtre, comme un corbeau sinistre[4], s'est posé sur ma route et m'a appelé à lui. Que veut dire cela? Tout à l'heure, en passant sur la place, j'ai entendu deux hommes parler d'une comète[5]. Sont-ce bien les battements d'un cœur humain que je sens là, sous les os de ma poitrine? Ah! pourquoi cette idée me

---

1. Poète et humaniste italien (1304-1374), auteur de nombreux sonnets consacrés à Laure de Noves, emportée par la peste noire. Le recueil le *Canzoniere* a été imprimé en 1470.

2. Village proche de Florence où Lorenzo passa son enfance.

3. Oreste avait reçu de l'oracle d'Apollon à Delphes l'ordre de venger son père Agamemnon, roi de Mycènes, tué par sa femme Clytemnestre aidée de son amant, Égisthe. Oreste tua Clytemnestre et Égisthe. Le «spectre de mon père» renvoie plutôt à Hamlet dans la tragédie de Shakespeare.

4. «Sinistre»: qui passe à gauche (*sinister* en latin) dans le ciel, de mauvais augure.

5. Le passage d'une comète était censé annoncer une calamité publique.

vient-elle si souvent depuis quelque temps ? — Suis-je le bras de Dieu ? Y a-t-il une nuée au-dessus de ma tête[1] ? Quand j'entrerai dans cette chambre, et que je voudrai tirer mon épée du fourreau, j'ai peur de tirer l'épée flamboyante de l'archange[2], et de tomber en cendres sur ma proie.

Il sort.

Scène 4

Chez le marquis Cibo. Entrent LE CARDINAL
et LA MARQUISE.

LA MARQUISE : Comme vous voudrez, Malaspina.

LE CARDINAL : Oui, comme je voudrai. Pensez-y à deux fois, marquise, avant de vous jouer à moi. Êtes-vous une femme comme les autres, et faut-il qu'on ait une chaîne d'or au cou et un mandat à la main, pour que vous compreniez qui on est ? Attendez-vous qu'un valet crie à tue-tête en ouvrant une porte devant moi, pour savoir quelle est ma puissance ? Apprenez-le : ce ne sont pas les titres qui font l'homme — je ne suis ni envoyé du pape ni capitaine de Charles Quint   je ne suis plus cela.

LA MARQUISE : Oui, je le sais. César a vendu son ombre au diable ; cette ombre impériale se promène, affublée d'une robe rouge, sous le nom de Cibo.

LE CARDINAL : Vous êtes la maîtresse d'Alexandre, songez à cela ; et votre secret est entre mes mains.

LA MARQUISE : Faites-en ce qu'il vous plaira ; nous verrons l'usage qu'un confesseur sait faire de sa conscience.

---

1. Selon l'Ancien Testament, une colonne de nuées guida les Hébreux dans le désert (*Exode*, XIII, 21).
2. Un ange au glaive fulgurant empêche Adam et Ève d'entrer au paradis après leur faute (*Genèse*, III, 24).

LE CARDINAL: Vous vous trompez; ce n'est pas par votre confession que je l'ai appris. Je l'ai vu de mes propres yeux, je vous ai vue embrasser le duc. Vous me l'auriez avoué au confessionnal que je pourrais encore en parler sans péché, puisque je l'ai vu hors du confessionnal.

LA MARQUISE: Eh bien, après?

LE CARDINAL: Pourquoi le duc vous quittait-il d'un pas si nonchalant, et en soupirant comme un écolier quand la cloche sonne? Vous l'aviez rassasié de votre patriotisme, qui, comme une fade boisson, se mêle à tous les mets de votre table. Quels livres avez-vous lus, et quelle sotte duègne était donc votre gouvernante, pour que vous ne sachiez pas que la maîtresse d'un roi parle ordinairement d'autre chose que de patriotisme?

LA MARQUISE: J'avoue que l'on ne m'a jamais appris nette-ment de quoi devait parler la maîtresse d'un roi; j'ai négligé de m'instruire sur ce point, comme aussi, peut-être, de manger du riz pour m'engraisser, à la mode turque.

LE CARDINAL: Il ne faut pas une grande science pour gar-der un amant un peu plus de trois jours.

LA MARQUISE: Qu'un prêtre eût appris cette science à une femme, cela eût été fort simple. Que ne m'avez-vous conseillée?

LE CARDINAL: Voulez-vous que je vous conseille? Prenez votre manteau, et allez vous glisser dans l'alcôve du duc. S'il s'attend à des phrases en vous voyant, prouvez-lui que vous savez n'en pas faire à toutes les heures; soyez pareille à une somnambule, et faites en sorte que s'il s'endort sur ce cœur républicain, ce ne soit pas d'ennui. Êtes-vous vierge? n'y a-t-il plus de vin de Chypre? n'avez-vous pas au fond de la mémoire quelque joyeuse chanson? n'avez-vous pas lu l'Arétin[1]?

---

1. Poète, dramaturge et pamphlétaire italien (1492-1556), auteur

LA MARQUISE: Ô ciel! j'ai entendu murmurer des mots comme ceux-là à de hideuses vieilles qui grelottent sur le Marché-Neuf[1]. Si vous n'êtes pas un prêtre, êtes-vous un homme? êtes-vous sûr que le ciel est vide, pour faire ainsi rougir votre pourpre elle-même?

LE CARDINAL: Il n'y a rien de si vertueux que l'oreille d'une femme dépravée. Feignez ou non de me comprendre, mais souvenez-vous que mon frère est votre mari.

LA MARQUISE: Quel intérêt vous avez à me torturer ainsi, voilà ce que je ne puis comprendre que vaguement. Vous me faites horreur — que voulez-vous de moi?

LE CARDINAL: Il y a des secrets qu'une femme ne doit pas savoir, mais qu'elle peut faire prospérer en en sachant les éléments.

LA MARQUISE: Quel fil mystérieux de vos sombres pensées voudriez-vous me faire tenir? Si vos désirs sont aussi effrayants que vos menaces, parlez; montrez-moi du moins le cheveu qui suspend l'épée sur ma tête.

LE CARDINAL: Je ne puis parler qu'en termes couverts, par la raison que je ne suis pas sûr de vous. Qu'il vous suffise de savoir que, si vous eussiez été une autre femme, vous seriez une reine à l'heure qu'il est. Puisque vous m'appelez l'ombre de César, vous auriez vu qu'elle est assez grande pour intercepter le soleil de Florence. Savez-vous où peut conduire un sourire féminin? Savez-vous où vont les fortunes dont les racines poussent dans les alcôves? Alexandre est fils du pape, apprenez-le; et quand le pape était à Bologne[2]... Mais je me laisse entraîner trop loin.

---

de sonnets licencieux et des *Ragionamenti,* dialogues sur l'art de la courtisane.

1. Le *Mercato Nuovo* était le centre des affaires et des intrigues à Florence.

2. Clément VII couronna Charles Quint à Bologne en 1530. Voir note 1, p. 16.

LA MARQUISE : Prenez garde de vous confesser à votre tour. Si vous êtes le frère de mon mari, je suis la maîtresse d'Alexandre.

LE CARDINAL : Vous l'avez été, marquise, et bien d'autres aussi.

LA MARQUISE : Je l'ai été — oui, Dieu merci, je l'ai été !

LE CARDINAL : J'étais sûr que vous commenceriez par vos rêves ; il faudra cependant que vous en veniez quelque jour aux miens. Écoutez-moi, nous nous querellons assez mal à propos ; mais en vérité, vous prenez tout au sérieux. Réconciliez-vous avec Alexandre, et puisque je vous ai blessée tout à l'heure [1] en vous disant comment, je n'ai que faire de le répéter. Laissez-vous conduire ; dans un an, dans deux ans, vous me remercierez. J'ai travaillé longtemps pour être ce que je suis, et je sais où l'on peut aller. Si j'étais sûr de vous, je vous dirais des choses que Dieu lui-même ne saura jamais.

LA MARQUISE : N'espérez rien, et soyez assuré de mon mépris.

Elle veut sortir.

LE CARDINAL : Un instant ! Pas si vite ! N'entendez-vous pas le bruit d'un cheval ? Mon frère ne doit-il pas venir aujourd'hui ou demain ? Me connaissez-vous pour un homme qui a deux paroles ? Allez au palais ce soir, ou vous êtes perdue.

LA MARQUISE : Mais enfin, que vous soyez ambitieux, que tous les moyens vous soient bons, je le conçois ; mais parlerez-vous plus clairement ? Voyons, Malaspina, je ne veux pas désespérer tout à fait de ma perversion. Si vous pouvez me convaincre, faites-le — parlez-moi franchement. Quel est votre but ?

LE CARDINAL : Vous ne désespérez pas de vous laisser

---

1. « Tout à l'heure » : dans l'instant (archaïsme).

convaincre, n'est-il pas vrai? Me prenez-vous pour un enfant, et croyez-vous qu'il suffise de me frotter les lèvres de miel pour me les desserrer? Agissez d'abord, je parlerai après. Le jour où, comme femme, vous aurez pris l'empire nécessaire, non pas sur l'esprit d'Alexandre, duc de Florence, mais sur le cœur d'Alexandre, votre amant, je vous apprendrai le reste, et vous saurez ce que j'attends.

LA MARQUISE: Ainsi donc, quand j'aurai lu l'Arétin pour me donner une première expérience, j'aurai à lire, pour en acquérir une seconde, le livre secret de vos pensées? Voulez-vous que je vous dise, moi, ce que vous n'osez pas me dire? Vous servez le pape, jusqu'à ce que l'empereur trouve que vous êtes meilleur valet que le pape lui-même. Vous espérez qu'un jour César vous devra bien réellement, bien complètement, l'esclavage de l'Italie, et ce jour-là — oh! ce jour-là, n'est-il pas vrai, celui qui est le roi de la moitié du monde pourrait bien vous donner en récompense le chétif héritage des cieux. Pour gouverner Florence en gouvernant le duc, vous vous feriez femme tout à l'heure, si vous pouviez. Quand la pauvre Ricciarda Cibo aura fait faire deux ou trois coups d'État à Alexandre, on aura bientôt ajouté que Ricciarda Cibo mène le duc, mais qu'elle est menée par son beau-frère; et, comme vous dites, qui sait jusqu'où les larmes des peuples, devenues un océan, pourraient lancer votre barque? Est-ce à peu près cela? Mon imagination ne peut aller aussi loin que la vôtre, sans doute, mais je crois que c'est à peu près cela.

LE CARDINAL: Allez ce soir chez le duc, ou vous êtes perdue.

LA MARQUISE: Perdue? et comment?

LE CARDINAL: Ton mari saura tout!

LA MARQUISE: Faites-le, faites-le, je me tuerai.

LE CARDINAL: Menace de femme! Écoutez-moi. Que vous m'ayez compris bien ou mal, allez ce soir chez le duc.

LA MARQUISE : Non.

LE CARDINAL : Voilà votre mari qui entre dans la cour. Par tout ce qu'il y a de sacré au monde, je lui raconte tout, si vous dites « non » encore une fois.

LA MARQUISE : Non, non, non ! *(Entre le marquis.)* Laurent, pendant que vous étiez à Massa, je me suis livrée à Alexandre, je me suis livrée, sachant qui il était, et quel rôle misérable j'allais jouer. Mais voilà un prêtre qui veut m'en faire jouer un plus vil encore ; il me propose des horreurs pour m'assurer le titre de maîtresse du duc, et le tourner à son profit.

> *Elle se jette à genoux.*

LE MARQUIS : Êtes-vous folle ? Que veut-elle dire, Malaspina ? — Eh bien ! vous voilà comme une statue. Ceci est-il une comédie, cardinal ? Eh bien donc ! que faut-il que j'en pense ?

LE CARDINAL : Ah ! corps du Christ[1] !

> *Il sort.*

LE MARQUIS : Elle est évanouie. Holà ! qu'on apporte du vinaigre.

Scène 5

La chambre de Lorenzo.
LORENZO, DEUX DOMESTIQUES.

LORENZO : Quand vous aurez placé ces fleurs sur la table et celles-ci au pied du lit, vous ferez un bon feu, mais de manière à ce que cette nuit la flamme ne flambe pas et que les charbons échauffent sans éclairer. Vous me donnerez la clef, et vous irez vous coucher.

> *Entre Catherine.*

---

1. Juron blasphématoire dans la bouche d'un cardinal.

CATHERINE: Notre mère est malade; ne viens-tu pas la voir, Renzo?

LORENZO: Ma mère est malade?

CATHERINE: Hélas! je ne puis te cacher la vérité. J'ai reçu hier un billet du duc, dans lequel il me disait que tu avais dû me parler d'amour pour lui; cette lecture a fait bien du mal à Marie.

LORENZO: Cependant je ne t'avais pas parlé de cela. N'as-tu pas pu lui dire que je n'étais pour rien là-dedans?

CATHERINE: Je le lui ai dit. Pourquoi ta chambre est-elle aujourd'hui si belle et en si bon état? Je ne croyais pas que l'esprit d'ordre fût ton majordome.

LORENZO: Le duc t'a donc écrit? Cela est singulier que je ne l'aie point su. Et, dis-moi, que penses-tu de sa lettre?

CATHERINE: Ce que j'en pense?

LORENZO: Oui, de la déclaration d'Alexandre. Qu'en pense ce petit cœur innocent?

CATHERINE: Que veux-tu que j'en pense?

LORENZO: N'as-tu pas été flattée? un amour qui fait l'envie de tant de femmes! un titre si beau à conquérir, la maîtresse de... Va-t'en, Catherine, va dire à ma mère que je te suis. Sors d'ici. Laisse-moi! (*Catherine sort.*) Par le ciel! quel homme de cire suis-je donc? Le Vice, comme la robe de Déjanire[1], s'est-il si profondément incorporé à mes fibres, que je ne puisse plus répondre de ma langue, et que l'air qui sort de mes lèvres se fasse ruffian malgré moi? J'allais corrompre Catherine. — Je crois que je corromprais ma mère, si mon cerveau le prenait à tâche; car Dieu sait quelle corde et quel arc les dieux ont tendus dans ma tête, et

---

1. Cette robe teintée du sang du centaure Nessus était censée ramener Hercule, époux de Déjanire, à la fidélité. Mais la tunique de Nessus collait à la peau et brûlait. Hercule se donna la mort pour échapper à la souffrance.

quelle force ont les flèches qui en partent! Si tous les hommes sont des parcelles d'un foyer immense, assurément l'être inconnu qui m'a pétri a laissé tomber un tison au lieu d'une étincelle, dans ce corps faible et chancelant. Je puis délibérer et choisir, mais non revenir sur mes pas quand j'ai choisi. Ô Dieu! les jeunes gens à la mode ne se font-ils pas une gloire d'être vicieux, et les enfants qui sortent du collège ont-ils quelque chose de plus pressé que de se pervertir? Quel bourbier doit donc être l'espèce humaine, qui se rue ainsi dans les tavernes avec des lèvres affamées de débauche, quand, moi, qui n'ai voulu prendre qu'un masque pareil à leurs visages, et qui ai été aux mauvais lieux avec une résolution inébranlable de rester pur sous mes vêtements souillés, je ne puis ni me retrouver moi-même ni laver mes mains, même avec du sang! Pauvre Catherine! tu mourrais cependant comme Louise Strozzi, ou tu te laisserais tomber comme tant d'autres dans l'éternel abîme, si je n'étais pas là. Ô Alexandre! je ne suis pas dévot, mais je voudrais, en vérité, que tu fisses ta prière avant de venir ce soir dans cette chambre. Catherine n'est-elle pas vertueuse, irréprochable? Combien faudrait-il pourtant de paroles pour faire de cette colombe ignorante la proie de ce gladiateur aux poils roux! Quand je pense que j'ai failli parler! Que de filles maudites par leurs pères rôdent au coin des bornes, ou regardent leur tête rasée dans le miroir cassé d'une cellule, qui ont valu autant que Catherine, et qui ont écouté un ruffian moins habile que moi! Eh bien! j'ai commis bien des crimes, et si ma vie est jamais dans la balance d'un juge quelconque, il y aura d'un côté une montagne de sanglots; mais il y aura peut-être de l'autre une goutte de lait pur tombée du sein de Catherine, et qui aura nourri d'honnêtes enfants.

Scène 6

Une vallée. Un couvent dans le fond.
Entrent PHILIPPE STROZZI et deux moines.
Des novices portent le cercueil de Louise,
ils le posent dans un tombeau.

PHILIPPE : Avant de la mettre dans son dernier lit, laissez-moi l'embrasser. Lorsqu'elle était couchée, c'est ainsi que je me penchais sur elle pour lui donner le baiser du soir. Ses yeux mélancoliques étaient ainsi fermés à demi, mais ils se rouvraient au premier rayon du soleil, comme deux fleurs d'azur ; elle se levait doucement le sourire sur les lèvres, et elle venait rendre à son vieux père son baiser de la veille. Sa figure céleste rendait délicieux un moment bien triste, le réveil d'un homme fatigué de la vie. Un jour de plus, pensais-je en voyant l'aurore, un sillon de plus dans mon champ ! Mais alors j'apercevais ma fille, la vie m'apparaissait sous la forme de sa beauté, et la clarté du jour était la bienvenue.

On ferme le tombeau.

PIERRE STROZZI, *derrière la scène* : Par ici, venez par ici.

PHILIPPE : Tu ne te lèveras plus de ta couche ; tu ne poseras pas tes pieds nus sur ce gazon pour revenir trouver ton père. Ô ma Louise ! il n'y a que Dieu qui ait su qui tu étais, et moi, moi, moi !

PIERRE, *entrant* : Ils sont cent à Sestino [1], qui arrivent du Piémont. Venez, Philippe, le temps des larmes est passé.

PHILIPPE : Enfant, sais-tu ce que c'est que le temps des larmes ?

PIERRE : Les bannis se sont rassemblés à Sestino ; il est

---

1. Petit bourg près d'Arezzo.

temps de penser à la vengeance. Marchons franchement sur Florence avec notre petite armée. Si nous pouvons arriver à propos pendant la nuit, et surprendre les postes de la citadelle, tout est dit. Par le ciel! j'élèverai à ma sœur un autre mausolée que celui-là.

PHILIPPE : Non pas moi ; allez sans moi, mes amis.

PIERRE : Nous ne pouvons nous passer de vous ; sachez-le, les confédérés comptent sur votre nom. François I[er][1] lui-même attend de vous un mouvement en faveur de la liberté. Il vous écrit comme au chef des républicains florentins ; voilà sa lettre.

PHILIPPE *ouvre la lettre* : Dis à celui qui t'a apporté cette lettre qu'il réponde ceci au roi de France : « Le jour où Philippe portera les armes contre son pays, il sera devenu fou. »

PIERRE : Quelle est cette nouvelle sentence ?

PHILIPPE : Celle qui me convient.

PIERRE : Ainsi vous perdez la cause des bannis, pour le plaisir de faire une phrase ? Prenez garde, mon père, il ne s'agit pas là d'un passage de Pline[2] ; réfléchissez avant de dire non.

PHILIPPE : Il y a soixante ans que je sais ce que je devais répondre à la lettre du roi de France.

PIERRE : Cela passe toute idée ! vous me forceriez à vous dire de certaines choses. — Venez avec nous, mon père, je vous en supplie. Lorsque j'allais chez les Pazzi, ne m'avez-vous pas dit : Emmène-moi ? — Cela était-il différent alors ?

PHILIPPE : Très différent. Un père offensé qui sort de sa maison l'épée à la main, avec ses amis, pour aller réclamer justice, est très différent d'un rebelle qui porte les armes contre son pays, en rase campagne et au mépris des lois.

---

1. C'est après la mort du duc Alexandre que François Ier proposa en réalité d'aider les républicains.

2. D'après Varchi, Philippe Strozzi travaillait à la correction de l'*Histoire naturelle* de Pline l'Ancien (23-79).

PIERRE: Il s'agissait bien de réclamer justice! il s'agissait d'assommer Alexandre. Qu'est-ce qu'il y a de changé aujourd'hui? Vous n'aimez pas votre pays, ou sans cela vous profiteriez d'une occasion comme celle-ci.

PHILIPPE: Une occasion, mon Dieu! Cela, une occasion!

Il frappe le tombeau.

PIERRE: Laissez-vous fléchir.

PHILIPPE: Je n'ai pas une douleur ambitieuse; laisse-moi seul, j'en ai assez dit.

PIERRE: Vieillard obstiné! inexorable faiseur de sentences! vous serez cause de notre perte.

PHILIPPE: Tais-toi, insolent! sors d'ici!

PIERRE: Je ne puis dire ce qui se passe en moi. Allez où il vous plaira, nous agirons sans vous cette fois. Eh! mort de Dieu! il ne sera pas dit que tout soit perdu faute d'un traducteur de latin!

Il sort.

PHILIPPE: Ton jour est venu, Philippe! tout cela signifie que ton jour est venu.

Scène 7

Le bord de l'Arno; un quai.
On voit une longue suite de palais.
Entre LORENZO.

Voilà le soleil qui se couche; je n'ai pas de temps à perdre, et cependant tout ressemble ici à du temps perdu. *(Il frappe à une porte.)* Holà! seigneur Alamanno! holà!

ALAMANNO, *sur sa terrasse*: Qui est là? que me voulez-vous?

LORENZO : Je viens vous avertir que le duc doit être tué cette nuit. Prenez vos mesures pour demain avec vos amis, si vous aimez la liberté.

ALAMANNO : Par qui doit être tué Alexandre ?

LORENZO : Par Lorenzo de Médicis.

ALAMANNO : C'est toi, Renzinaccio[1] ? Eh ! entre donc souper avec de bons vivants qui sont dans mon salon.

LORENZO : Je n'ai pas le temps ; préparez-vous à agir demain.

ALAMANNO : Tu veux tuer le duc, toi ? Allons donc ! tu as un coup de vin dans la tête.

Il rentre chez lui.

LORENZO, *seul* : Peut-être que j'ai tort de leur dire que c'est moi qui tuerai Alexandre, car tout le monde refuse de me croire. *(Il frappe à une autre porte.)* Holà ! seigneur Pazzi[2] ! holà !

PAZZI, *sur sa terrasse* : Qui m'appelle ?

LORENZO : Je viens vous dire que le duc sera tué cette nuit. Tâchez d'agir demain pour la liberté de Florence.

PAZZI : Qui doit tuer le duc ?

LORENZO : Peu importe, agissez toujours, vous et vos amis. Je ne puis vous dire le nom de l'homme.

PAZZI : Tu es fou, drôle, va-t'en au diable !

Il rentre.

LORENZO, *seul* : Il est clair que si je ne dis pas que c'est moi, on me croira encore bien moins. *(Il frappe à une porte.)* Holà ! seigneur Corsini !

LE PROVÉDITEUR, *sur sa terrasse* : Qu'est-ce donc ?

---

1. Surnom combinant le diminutif mélioratif Lorenzino et le péjoratif Lorenzaccio.
2. François Pazzi, compagnon de Pierre et Thomas Strozzi. Voir acte II, scène 5.

LORENZO : Le duc Alexandre sera tué cette nuit.

LE PROVÉDITEUR : Vraiment, Lorenzo ! Si tu es gris, va plaisanter ailleurs. Tu m'as blessé bien mal à propos un cheval, au bal des Nasi ; que le diable te confonde !

Il rentre.

LORENZO : Pauvre Florence ! pauvre Florence !

Il sort.

Scène 8

Une plaine.
Entrent PIERRE STROZZI *et* DEUX BANNIS.

PIERRE : Mon père ne veut pas venir. Il m'a été impossible de lui faire entendre raison.

PREMIER BANNI : Je n'annoncerai pas cela à mes camarades. Il y a de quoi les mettre en déroute.

PIERRE : Pourquoi ? Montez à cheval ce soir, et allez bride abattue à Sestino ; j'y serai demain matin. Dites que Philippe a refusé, mais que Pierre ne refuse pas.

PREMIER BANNI : Les confédérés veulent le nom de Philippe ; nous ne ferons rien sans cela.

PIERRE : Le nom de famille de Philippe est le même que le mien. Dites que Strozzi viendra, cela suffit.

PREMIER BANNI : On me demandera lequel des Strozzi, et si je ne réponds pas « Philippe » rien ne se fera.

PIERRE : Imbécile ! Fais ce qu'on te dit, et ne réponds que pour toi-même. Comment sais-tu d'avance que rien ne se fera ?

PREMIER BANNI : Seigneur, il ne faut pas maltraiter les gens.

PIERRE : Allons, monte à cheval, et va à Sestino.

PREMIER BANNI : Ma foi, monsieur, mon cheval est fatigué ; j'ai fait douze lieues dans la nuit. Je n'ai pas envie de le seller à cette heure.

PIERRE : Tu n'es qu'un sot. (*À l'autre banni.*) Allez-y, vous ; vous vous y prendrez mieux.

LE DEUXIÈME BANNI : Le camarade n'a pas tort pour ce qui regarde Philippe ; il est certain que son nom ferait bien pour la cause.

PIERRE : Lâches ! Manants sans cœur ! Ce qui fait bien pour la cause, ce sont vos femmes et vos enfants qui meurent de faim, entendez-vous ? Le nom de Philippe leur remplira la bouche, mais il ne leur remplira pas le ventre. Quels pourceaux êtes-vous ?

LE DEUXIÈME BANNI : Il est impossible de s'entendre avec un homme aussi grossier. Allons-nous-en, camarade.

PIERRE : Va au diable, canaille ! et dis à tes confédérés que s'ils ne veulent pas de moi, le roi de France en veut, lui ! et qu'ils prennent garde qu'on ne me donne la main haute sur vous tous !

LE DEUXIÈME BANNI, *à l'autre* : Viens, camarade, allons souper ; je suis, comme toi, excédé de fatigue.

Ils sortent.

Scène 9

Une place ; il est nuit. Entre LORENZO.

Je lui dirai que c'est un motif de pudeur, et j'emporterai la lumière — cela se fait tous les jours —, une nouvelle mariée, par exemple, exige cela de son mari pour entrer dans la chambre nuptiale, et Catherine passe pour très vertueuse. — Pauvre fille ! qui l'est sous le soleil, si elle ne l'est pas ? — Que ma mère mourût de tout cela, voilà ce qui pourrait arriver.

Ainsi donc, voilà qui est fait. Patience ! une heure est une heure, et l'horloge vient de sonner. Si vous y tenez cependant — mais non, pourquoi ? — Emporte le flambeau si tu veux ; la première fois qu'une femme se donne, cela est tout simple. — Entrez donc, chauffez-vous donc un peu. — Oh ! mon Dieu, oui, pur caprice de jeune fille ; et quel motif de croire à ce meurtre ? — Cela pourra les étonner, même Philippe.

Te voilà, toi, face livide ? *(La lune paraît.)* Si les républicains étaient des hommes, quelle révolution demain dans la ville ! Mais Pierre est un ambitieux ; les Ruccellaï seuls valent quelque chose. — Ah ! les mots, les mots, les éternelles paroles ! S'il y a quelqu'un là-haut, il doit bien rire de nous tous ; cela est très comique, très comique, vraiment. — Ô bavardage humain ! ô grand tueur de corps morts ! grand défonceur de portes ouvertes ! ô hommes sans bras !

Non ! non ! je n'emporterai pas la lumière. — J'irai droit au cœur ; il se verra tuer... Sang du Christ ! on se mettra demain aux fenêtres.

Pourvu qu'il n'ait pas imaginé quelque cuirasse nouvelle, quelque cotte de mailles. Maudite invention ! Lutter avec Dieu et le diable, ce n'est rien ; mais lutter avec des bouts de ferraille croisés les uns sur les autres par la main sale d'un armurier ! — Je passerai le second pour entrer ; il posera son épée là — ou là — oui, sur le canapé. — Quant à l'affaire du baudrier à rouler autour de la garde[1], cela est aisé. S'il pouvait lui prendre fantaisie de se coucher, voilà où serait le vrai moyen. Couché, assis, ou debout ? assis plutôt. Je commencerai par sortir ; Scoronconcolo est enfermé

---

1. « Baudrier » : Bande de cuir ou d'étoffe qui se porte en écharpe et soutient une épée. « Garde » : rebord placé entre la lame et la poignée d'une épée pour protéger la main.

dans le cabinet. Alors nous venons, nous venons — je ne voudrais pourtant pas qu'il tournât le dos. J'irai à lui tout droit. Allons, la paix, la paix ! l'heure va venir. — Il faut que j'aille dans quelque cabaret ; je ne m'aperçois pas que je prends du froid, et je viderai un flacon. — Non ; je ne veux pas boire. Où diable vais-je donc ? les cabarets sont fermés. Est-elle bonne fille ? — Oui, vraiment. — En chemise ? — Oh ! non, non, je ne le pense pas. — Pauvre Catherine ! — Que ma mère mourût de tout cela, ce serait triste. — Et quand je lui aurais dit mon projet, qu'aurais-je pu y faire ? au lieu de la consoler, cela lui aurait fait dire : Crime ! Crime ! jusqu'à son dernier soupir !

Je ne sais pourquoi je marche, je tombe de lassitude. *(Il s'assoit sur un banc.)* Pauvre Philippe ! une fille belle comme le jour. Une seule fois je me suis assis près d'elle sous le marronnier ; ces petites mains blanches, comme cela travaillait ! Que de journées j'ai passées, moi, assis sous les arbres ! Ah ! quelle tranquillité ! quel horizon à Cafaggiuolo ! Jeannette était jolie, la petite fille du concierge, en faisant sécher sa lessive. Comme elle chassait les chèvres qui venaient marcher sur son linge étendu sur le gazon ! la chèvre blanche revenait toujours, avec ses grandes pattes menues. *(Une horloge sonne.)* Ah ! ah ! il faut que j'aille là-bas. — Bonsoir, mignon ; eh ! trinque donc avec Giomo. — Bon vin ! Cela serait plaisant qu'il lui vînt à l'idée de me dire : Ta chambre est-elle retirée ? entendra-t-on quelque chose du voisinage ? Cela sera plaisant ; ah ! on y a pourvu. Oui, cela serait drôle qu'il lui vînt cette idée.

Je me trompe d'heure ; ce n'est que la demie. Quelle est donc cette lumière sous le portique de l'église ? on taille, on remue des pierres. Il paraît que ces hommes sont courageux avec les pierres. Comme ils coupent ! comme ils enfoncent ! Ils font un crucifix ; avec quel courage ils le clouent ! Je voudrais voir que leur cadavre de marbre les prît tout d'un coup à la gorge.

Eh bien, eh bien, quoi donc ? j'ai des envies de danser qui sont incroyables. Je crois, si je m'y laissais aller, que je sauterais comme un moineau sur tous ces gros platras et sur toutes ces poutres. Eh, mignon, eh, mignon ! mettez vos gants neufs, un plus bel habit que cela, tra la la ! faites-vous beau, la mariée est belle. Mais, je vous le dis à l'oreille, prenez garde à son petit couteau.

Il sort en courant.

Scène 10

Chez le duc. LE DUC, *à souper.* GIOMO.
— *Entre* LE CARDINAL CIBO.

LE CARDINAL : Altesse, prenez garde à Lorenzo.

LE DUC : Vous voilà, cardinal ! asseyez-vous donc, et prenez donc un verre.

LE CARDINAL : Prenez garde à Lorenzo, Duc. Il a été demander ce soir à l'évêque de Marzi[1] la permission d'avoir des chevaux de poste cette nuit.

LE DUC : Cela ne se peut pas.

LE CARDINAL : Je le tiens de l'évêque lui-même.

LE DUC : Allons donc ! je vous dis que j'ai de bonnes raisons pour savoir que cela ne se peut pas.

LE CARDINAL : Me faire croire est peut-être impossible ; je remplis mon devoir en vous avertissant.

LE DUC : Quand cela serait vrai, que voyez-vous d'effrayant à cela ? Il va peut-être à Cafaggiuolo.

LE CARDINAL : Ce qu'il y a d'effrayant, Monseigneur, c'est

---

1. Nom de l'évêque d'Assise habitant à Florence. Il est l'homme de confiance du duc.

qu'en passant sur la place pour venir ici, je l'ai vu de mes yeux sauter sur des poutres et des pierres comme un fou. Je l'ai appelé, et, je suis forcé d'en convenir, son regard m'a fait peur. Soyez certain qu'il mûrit dans sa tête quelque projet pour cette nuit.

LE DUC : Et pourquoi ces projets me seraient-ils dangereux ?

LE CARDINAL : Faut-il tout dire, même quand on parle d'un favori ? Apprenez qu'il a dit ce soir à deux personnes de ma connaissance, publiquement, sur leur terrasse, qu'il vous tuerait cette nuit.

LE DUC : Buvez donc un verre de vin, Cardinal. Est-ce que vous ne savez pas que Renzo est ordinairement gris au coucher du soleil ?

Entre sire Maurice.

SIRE MAURICE : Altesse, défiez-vous de Lorenzo. Il a dit à trois de mes amis, ce soir, qu'il voulait vous tuer cette nuit.

LE DUC : Et vous aussi, brave Maurice, vous croyez aux fables ? Je vous croyais plus homme que cela.

SIRE MAURICE : Votre Altesse sait si je m'effraye sans raison. Ce que je dis, je puis le prouver.

LE DUC : Asseyez-vous donc, et trinquez avec le cardinal.
— Vous ne trouverez pas mauvais que j'aille à mes affaires.
— *(Entre Lorenzo.)* Eh bien, mignon, est-il déjà temps ?

LORENZO : Il est minuit tout à l'heure.

LE DUC : Qu'on me donne mon pourpoint de zibeline[1].

LORENZO : Dépêchons-nous, votre belle est peut-être déjà au rendez-vous.

LE DUC : Quels gants faut-il prendre ? ceux de guerre, ou ceux d'amour ?

LORENZO : Ceux d'amour, Altesse.

---

1. Fourrure précieuse d'un mammifère du genre martre.

LE DUC : Soit, je veux être un vert-galant[1].

Ils sortent.

SIRE MAURICE : Que dites-vous de cela, Cardinal ?

LE CARDINAL : Que la volonté de Dieu se fait malgré les hommes.

Ils sortent.

Scène 11

La chambre de Lorenzo.
Entrent LE DUC et LORENZO

LE DUC : Je suis transi, — il fait vraiment froid. *(Il ôte son épée.)* Eh bien, mignon, qu'est-ce que tu fais donc ?

LORENZO : Je roule votre baudrier autour de votre épée, et je la mets sous votre chevet. Il est bon d'avoir toujours une arme sous la main.

Il entortille le baudrier de manière à empêcher l'épée de sortir du fourreau.

LE DUC : Tu sais que je n'aime pas les bavardes, et il m'est revenu que la Catherine était une belle parleuse. Pour éviter les conversations, je vais me mettre au lit. — À propos, pourquoi donc as-tu fait demander des chevaux de poste à l'évêque de Marzi ?

LORENZO : Pour aller voir mon frère, qui est très malade, à ce qu'il m'écrit.

LE DUC : Va donc chercher ta tante.

LORENZO : Dans un instant.

Il sort.

---

1. Homme vigoureux sexuellement.

LE DUC, *seul* : Faire la cour à une femme qui vous répond « oui » lorsqu'on lui demande « oui ou non », cela m'a toujours paru très sot, et tout à fait digne d'un Français. Aujourd'hui surtout que j'ai soupé comme trois moines, je serais incapable de dire seulement : « Mon cœur, ou mes chères entrailles », à l'infante d'Espagne[1]. Je veux faire semblant de dormir ; ce sera peut-être cavalier, mais ce sera commode.

         Il se couche. – Lorenzo rentre l'épée à la main.

LORENZO : Dormez-vous, Seigneur ?

                              Il le frappe.

LE DUC : C'est toi, Renzo ?

LORENZO : Seigneur, n'en doutez pas.

        Il le frappe de nouveau. – Entre Scoronconcolo.

SCORONCONCOLO : Est-ce fait ?

LORENZO : Regarde, il m'a mordu au doigt. Je garderai jusqu'à la mort cette bague sanglante, inestimable diamant.

SCORONCONCOLO : Ah ! mon Dieu ! c'est le duc de Florence !

LORENZO, *s'asseyant sur le bord de la fenêtre* : Que la nuit est belle ! Que l'air du ciel est pur ! Respire, respire, cœur navré de joie !

SCORONCONCOLO : Viens, Maître, nous en avons trop fait ; sauvons-nous.

LORENZO : Que le vent du soir est doux et embaumé ! Comme les fleurs des prairies s'entrouvrent ! Ô nature magnifique, ô éternel repos !

SCORONCONCOLO : Le vent va glacer sur votre visage la sueur qui en découle. Venez, Seigneur.

---

1. Marguerite d'Autriche, épouse d'Alexandre. Voir note 1, p. 102.

LORENZO : Ah ! Dieu de bonté ! quel moment !

SCORONCONCOLO, *à part* : Son âme se dilate singulièrement. Quant à moi, je prendrai les devants.

Il veut sortir.

LORENZO : Attends ! Tire ces rideaux. Maintenant, donne-
moi la clef de cette chambre.

SCORONCONCOLO : Pourvu que les voisins n'aient rien
entendu !

LORENZO : Ne te souviens-tu pas qu'ils sont habitués à
notre tapage ? Viens, partons.

Ils sortent.

Acte cinquième

Scène I

Au palais du duc.
Entrent VALORI, SIRE MAURICE et GUICCIARDIN[1].
Une foule de courtisans circulent dans la salle
et dans les environs.

SIRE MAURICE : Giomo n'est pas revenu encore de son message ; cela devient de plus en plus inquiétant.

GUICCIARDINI : Le voilà qui entre dans la salle.

Entre Giomo.

SIRE MAURICE : Eh bien ! qu'as-tu appris ?

GIOMO : Rien du tout.

Il sort.

GUICCIARDINI : Il ne veut pas répondre. Le cardinal Cibo est enfermé dans le cabinet du duc ; c'est à lui seul que les nouvelles arrivent. *(Entre un autre messager.)* Eh bien ! le duc est-il retrouvé ? sait-on ce qu'il est devenu ?

---

1. Le nom de François Guichardin ne figure pas sur la liste des personnages de la pièce. Historien et homme politique italien (1483-1540), conseiller de Clément VII et d'Alexandre. Il intrigua en faveur de la candidature de Côme avant de connaître la disgrâce.

LE MESSAGER : Je ne sais pas.

Il entre dans le cabinet.

VALORI : Quel événement épouvantable, Messieurs, que cette disparition ! point de nouvelles du duc ! Ne disiez-vous pas, sire Maurice, que vous l'avez vu hier soir ? Il ne paraissait pas malade ?

Rentre Giomo.

GIOMO, *à sire Maurice* : Je puis vous le dire à l'oreille — le duc est assassiné.

SIRE MAURICE : Assassiné ! par qui ? où l'avez-vous trouvé ?

GIOMO : Où vous nous aviez dit — dans la chambre de Lorenzo.

SIRE MAURICE : Ah ! sang du diable ! le cardinal le sait-il ?

GIOMO : Oui, Excellence.

SIRE MAURICE : Que décide-t-il ? Qu'y a-t-il à faire ? Déjà le peuple se porte en foule vers le palais. Toute cette hideuse affaire a transpiré — nous sommes morts si elle se confirme — on nous massacrera.

Des valets portant des tonneaux pleins de vin et de comestibles passent dans le fond.

GUICCIARDINI : Que signifie cela ? Va-t-on faire des distributions au peuple ?

Entre un seigneur de la cour.

LE SEIGNEUR : Le duc est-il visible, Messieurs ? Voilà un cousin à moi, nouvellement arrivé d'Allemagne, que je désire présenter à Son Altesse ; soyez assez bons pour le voir d'un œil favorable.

GUICCIARDINI : Répondez-lui, seigneur Valori ; je ne sais que lui dire.

VALORI : La salle se remplit à tout instant de ces complimenteurs du matin. Ils attendent tranquillement qu'on les admette.

SIRE MAURICE, *à Giomo* : On l'a enterré là ?

GIOMO : Ma foi, oui, dans la sacristie. Que voulez-vous ? Si le peuple apprenait cette mort-là, elle pourrait en causer bien d'autres. Lorsqu'il en sera temps, on lui fera des obsèques publiques. En attendant, nous l'avons emporté dans un tapis.

VALORI : Qu'allons-nous devenir ?

PLUSIEURS SEIGNEURS *s'approchent* : Nous sera-t-il bientôt permis de présenter nos devoirs à Son Altesse ? Qu'en pensez-vous, Messieurs ?

Entre le cardinal Cibo.

LE CARDINAL : Oui, Messieurs, vous pourrez entrer dans une heure ou deux. Le duc a passé la nuit à une mascarade, et il repose en ce moment !

Des valets suspendent des dominos [1] *aux croisées.*

LES COURTISANS : Retirons-nous ; le duc est encore couché. Il a passé la nuit au bal.

Les courtisans se retirent. – Entrent les Huit [2].

NICCOLINI : Eh bien ! Cardinal, qu'y a-t-il de décidé ?

LE CARDINAL :

*Primo avulso, non deficit alter
Aureus. et simili frondescit virga metallo* [3].

---

1. Costumes de bal masqué, robes flottantes à capuchon.
2. Niccolini, Vettori, Capponi, Acciaiuoli sont des représentants des grandes familles florentines, membres des Huit. Voir note 3, p. 7.
3. Musset traduit la citation dans son manuscrit : « Le premier rameau d'or arraché se remplace par un autre et une même branche du même métal pousse aussitôt » (Virgile, *Énéide*, VI, 143-148). Il s'agit du rameau consacré à Junon permettant de s'enfoncer dans les Enfers. Ces vers figuraient dans le discours adressé par le cardinal à Côme Ier après son élection.

Il sort.

NICCOLINI : Voilà qui est admirable ; mais qu'y a-t-il de fait ? Le duc est mort ; il faut en élire un autre, et cela le plus vite possible. Si nous n'avons pas un duc ce soir ou demain, c'en est fait de nous. Le peuple est en ce moment comme l'eau qui va bouillir.

VETTORI : Je propose Octavien de Médicis [1].

CAPPONI : Pourquoi ? Il n'est pas le premier par les droits du sang.

ACCIAIUOLI : Si nous prenions le cardinal ?

SIRE MAURICE : Plaisantez-vous ?

RUCCELLAÏ : Pourquoi, en effet, ne prendriez-vous pas le cardinal, vous qui le laissez, au mépris de toutes les lois, se déclarer seul juge en cette affaire ?

VETTORI : C'est un homme capable de la bien diriger.

RUCCELLAÏ : Qu'il se fasse donner l'ordre du pape.

VETTORI : C'est ce qu'il a fait ; le pape a envoyé l'autorisation par un courrier que le cardinal a fait partir dans la nuit.

RUCCELLAÏ : Vous voulez dire par un oiseau, sans doute ; car un courrier commence par prendre le temps d'aller, avant d'avoir celui de revenir. Nous traite-t-on comme des enfants ?

CANIGIANI, *s'approchant* : Messieurs, si vous m'en croyez, voilà ce que nous ferons : nous élirons duc de Florence son fils naturel Julien [2].

RUCCELLAÏ : Bravo ! un enfant de cinq ans ! N'a-t-il pas cinq ans, Canigiani ?

GUICCIARDINI, *bas* : Ne voyez-vous pas le personnage ? c'est le cardinal qui lui met dans la tête cette sotte proposition. Cibo serait régent, et l'enfant mangerait des gâteaux.

---

1. Ce cousin éloigné fut effectivement pressenti.
2. Il s'agit en fait du fils d'Alexandre. Erreur de Musset.

RUCCELLAÏ : Cela est honteux ; je sors de cette salle, si on y tient de pareils discours.

Entre Corsi.

CORSI : Messieurs, le cardinal vient d'écrire à Côme de Médicis.

LES HUIT : Sans nous consulter ?

CORSI : Le cardinal a écrit pareillement à Pise, à Arezzo, et à Pistoie, aux commandants militaires. Jacques de Médicis[1] sera demain ici avec le plus de monde possible ; Alexandre Vitelli[2] est déjà dans la forteresse avec la garnison entière. Quant à Lorenzo, il est parti trois courriers pour le joindre.

RUCCELLAÏ : Qu'il se fasse duc tout de suite, votre cardinal, cela sera plus tôt fait.

CORSI : Il m'est ordonné de vous prier de mettre aux voix l'élection de Côme de Médicis, sous le titre provisoire de gouverneur de la république florentine.

GIOMO, *à des valets qui traversent la salle* : Répandez du sable autour de la porte, et n'épargnez pas le vin plus que le reste[3].

RUCCELLAÏ : Pauvre peuple ! quel badaud on fait de toi !

SIRE MAURICE : Allons, Messieurs, aux voix. Voici vos billets.

VETTORI : Côme est en effet le premier en droit après Alexandre ; c'est son plus proche parent.

ACCIAIUOLI : Quel homme est-ce ? je le connais fort peu.

CORSI : C'est le meilleur prince du monde.

GUICCIARDINI : Hé, hé, pas tout à fait cela. Si vous disiez le plus diffus et le plus poli des princes, ce serait plus vrai.

SIRE MAURICE : Vos voix, Seigneurs.

---

1. Condottiere au service de Charles Quint qui servit aussi Côme Ier.
2. Autre condottiere au service des Médicis.
3. Selon Varchi, il s'agit de la préparation d'un jeu destiné à faire croire aux citoyens que la vie du duc se poursuivait normalement. Le vin est une invention de Musset.

RUCCELLAÏ: Je m'oppose à ce vote formellement, et au nom de tous les citoyens.

VETTORI: Pourquoi?

RUCCELLAÏ: Il ne faut plus à la république ni princes, ni ducs, ni seigneurs — voici mon vote.

Il montre son billet blanc.

VETTORI: Votre voix n'est qu'une voix. Nous nous passerons de vous.

RUCCELLAÏ: Adieu donc; je m'en lave les mains.

GUICCIARDINI, *courant après lui*: Eh! mon Dieu, Palla, vous êtes trop violent.

RUCCELLAÏ: Laissez-moi! J'ai soixante-deux ans passés; ainsi vous ne pouvez pas me faire grand mal désormais.

Il sort.

NICCOLINI: Vos voix, Messieurs! (*Il déplie les billets jetés dans un bonnet.*) Il y a unanimité. Le courrier est-il parti pour Trebbio?

CORSI: Oui, Excellence. Côme sera ici dans la matinée de demain, à moins qu'il ne refuse.

VETTORI: Pourquoi refuscrait-il?

NICCOLINI: Ah! mon Dieu! s'il allait refuser, que deviendrions-nous? Quinze lieues à faire d'ici à Trebbio[1] pour trouver Côme, et autant pour revenir, ce serait une journée de perdue. Nous aurions dû choisir quelqu'un qui fût plus près de nous.

VETTORI: Que voulez-vous? — notre vote est fait, et il est probable qu'il acceptera. — Tout cela est étourdissant.

Ils sortent.

---

1. Résidence de Côme à quinze milles (et non «lieues») de Florence.

Scène 2

À Venise. PHILIPPE STROZZI, *dans son cabinet.*

J'en étais sûr. — Pierre est en correspondance avec le roi de France — le voilà à la tête d'une espèce d'armée, et prêt à mettre le bourg à feu et à sang[1]. C'est donc là ce qu'aura fait ce pauvre nom de Strozzi, qu'on a respecté si long-temps ! — il aura produit un rebelle et deux ou trois massacres. — Ô ma Louise ! Tu dors en paix sous le gazon — l'oubli du monde entier est autour de toi comme en toi, au fond de la triste vallée où je t'ai laissée. *(On frappe à la porte.)* Entrez.

Entre Lorenzo.

LORENZO : Philippe, je t'apporte le plus beau joyau de ta couronne.

PHILIPPE : Qu'est-ce que tu jettes là ? une clef ?

LORENZO : Cette clef ouvre ma chambre, et dans ma chambre est Alexandre de Médicis, mort de la main que voilà.

PHILIPPE : Vraiment ! vraiment ! — cela est incroyable.

LORENZO : Crois-le si tu veux. — Tu le sauras par d'autres que par moi.

PHILIPPE, *prenant la clef* : Alexandre est mort ! — cela est-il possible ?

LORENZO : Que dirais-tu, si les républicains t'offraient d'être duc à sa place ?

PHILIPPE : Je refuserais, mon ami.

LORENZO : Vraiment ! vraiment ! — cela est incroyable.

PHILIPPE : Pourquoi ? — cela est tout simple pour moi.

---

1. La ville de Borgo San Sepolcro.

LORENZO : Comme pour moi de tuer Alexandre. — Pourquoi ne veux-tu pas me croire ?

PHILIPPE : Ô notre nouveau Brutus ! je te crois et je t'embrasse. — La liberté est donc sauvée ! — Oui, je te crois, tu es tel que tu me l'as dit. Donne-moi ta main. — Le duc est mort ! — ah ! il n'y a pas de haine dans ma joie — il n'y a que l'amour le plus pur, le plus sacré pour la patrie, j'en prends Dieu à témoin.

LORENZO : Allons, calme-toi — il n'y a rien de sauvé que moi, qui ai les reins brisés par les chevaux de l'évêque de Marzi.

PHILIPPE : N'as-tu pas averti nos amis ? N'ont-ils pas l'épée à la main à l'heure qu'il est ?

LORENZO : Je les ai avertis ; j'ai frappé à toutes les portes républicaines, avec la constance d'un frère quêteur — je leur ai dit de frotter leurs épées, qu'Alexandre serait mort quand ils s'éveilleraient. — Je pense qu'à l'heure qu'il est ils se sont éveillés plus d'une fois, et rendormis à l'avenant. — Mais, en vérité, je ne pense pas autre chose.

PHILIPPE : As-tu averti les Pazzi ? — L'as-tu dit à Corsini ?

LORENZO : À tout le monde — je l'aurais dit, je crois, à la lune, tant j'étais sûr de n'être pas écouté.

PHILIPPE : Comment l'entends-tu ?

LORENZO : J'entends qu'ils ont haussé les épaules, et qu'ils sont retournés à leurs dîners, à leurs cornets[1] et à leurs femmes.

PHILIPPE : Tu ne leur as donc pas expliqué l'affaire ?

LORENZO : Que diantre voulez-vous que j'explique ? — Croyez-vous que j'eusse une heure à perdre avec chacun d'eux ? Je leur ai dit : préparez-vous, et j'ai fait mon coup.

PHILIPPE : Et tu crois que les Pazzi ne font rien ? — qu'en

_____

1. Cornets à dés.

sais-tu? — Tu n'as pas de nouvelles depuis ton départ, et il y a plusieurs jours que tu es en route.

LORENZO: Je crois que les Pazzi font quelque chose; je crois qu'ils font des armes dans leur antichambre, en buvant du vin du Midi de temps à autre, quand ils ont le gosier sec.

PHILIPPE: Tu soutiens ta gageure[1]; ne m'as-tu pas voulu parier ce que tu me dis là? Sois tranquille, j'ai meilleure espérance.

LORENZO: Je suis tranquille, plus que je ne puis dire.

PHILIPPE: Pourquoi n'es-tu pas sorti la tête du duc à la main? Le peuple t'aurait suivi comme son sauveur et son chef.

LORENZO: J'ai laissé le cerf aux chiens — qu'ils fassent eux-mêmes la curée[2].

PHILIPPE: Tu aurais déifié les hommes, si tu ne les méprisais.

LORENZO: Je ne les méprise point, je les connais. Je suis très persuadé qu'il y en a très peu de très méchants, beaucoup de lâches, et un grand nombre d'indifférents. Il y en a aussi de féroces, comme les habitants de Pistoie, qui ont trouvé dans cette affaire une petite occasion d'égorger tous leurs chanceliers[3] en plein midi, au milieu des rues. J'ai appris cela il n'y a pas une heure.

PHILIPPE: Je suis plein de joie et d'espoir; le cœur me bat malgré moi.

LORENZO: Tant mieux pour vous.

PHILIPPE: Puisque tu n'en sais rien, pourquoi en parles-tu ainsi? Assurément tous les hommes ne sont pas capables de grandes choses, mais tous sont sensibles aux grandes

---

1. Voir l'acte III, scène 3 : « Je te fais une gageure. »
2. Faire ou donner la curée, c'est livrer aux chiens de chasse la portion de la bête qui leur revient.
3. Varchi parle en fait de la famille des Cancellieri et non des chanceliers. Il s'agit de règlements de comptes entre clans.

choses; nies-tu l'histoire du monde entier? Il faut sans doute une étincelle pour allumer une forêt, mais l'étincelle peut sortir d'un caillou, et la forêt prend feu. C'est ainsi que l'éclair d'une seule épée peut illuminer tout un siècle.

LORENZO: Je ne nie pas l'histoire, mais je n'y étais pas.

PHILIPPE: Laisse-moi t'appeler Brutus! Si je suis un rêveur, laisse-moi ce rêve-là. Ô mes amis, mes compatriotes! vous pouvez faire un beau lit de mort au vieux Strozzi, si vous voulez!

LORENZO: Pourquoi ouvrez-vous la fenêtre?

PHILIPPE: Ne vois-tu pas sur cette route un courrier qui arrive à franc étrier? Mon Brutus! Mon grand Lorenzo! la liberté est dans le ciel! je la sens, je la respire.

LORENZO: Philippe! Philippe! point de cela — fermez votre fenêtre — toutes ces paroles me font mal.

PHILIPPE: Il me semble qu'il y a un attroupement dans la rue; un crieur lit une proclamation. Holà, Jean, allez acheter le papier de ce crieur.

LORENZO: Ô Dieu! ô Dieu!

PHILIPPE: Tu deviens pâle comme un mort. Qu'as-tu donc!

LORENZO: N'as-tu rien entendu?

> *Un domestique entre, apportant la proclamation.*

PHILIPPE: Non; lis donc un peu ce papier, qu'on criait dans la rue.

LORENZO, *lisant*: «À tout homme, noble ou roturier, qui tuera Lorenzo de Médicis, traître à la patrie et assassin de son maître, en quelque lieu et de quelque manière que ce soit, sur toute la surface de l'Italie, il est promis par le conseil des Huit à Florence: 1° quatre mille florins d'or sans aucune retenue; 2° une rente de cent florins par an, pour lui durant sa vie, et ses héritiers en ligne directe après sa mort; 3° la permission d'exercer toutes les magistratures, de posséder tous les bénéfices et privilèges de l'État, malgré sa naissance s'il est roturier ; 4° grâce perpétuelle pour toutes ses fautes, passées et futures, ordinaires et extraordinaires. » Signé de la main des Huit.

Eh bien, Philippe, vous ne vouliez pas croire tout à l'heure que j'avais tué Alexandre ? Vous voyez bien que je l'ai tué.

PHILIPPE : Silence ! quelqu'un monte l'escalier. Cache-toi dans cette chambre.

Ils sortent.

Scène 3

Florence. – Une rue.
Entrent DEUX GENTILSHOMMES.

PREMIER GENTILHOMME : N'est-ce pas le marquis Cibo qui passe là ? Il me semble qu'il donne le bras à sa femme ?

Le marquis et la marquise passent.

DEUXIÈME GENTILHOMME : Il paraît que ce bon marquis n'est pas d'une nature vindicative. Qui ne sait pas à Florence que sa femme a été la maîtresse du feu duc ?

PREMIER GENTILHOMME : Ils paraissent bien raccommodés. J'ai cru les voir se serrer la main.

DEUXIÈME GENTILHOMME : La perle des maris, en vérité ! Avaler ainsi une couleuvre aussi longue que l'Arno, cela s'appelle avoir l'estomac bon.

PREMIER GENTILHOMME : Je sais que cela fait parler — cependant je ne te conseillerais pas d'aller lui en parler à lui-même ; il est de la première force à toutes les armes, et les faiseurs de calembours craignent l'odeur de son jardin.

DEUXIÈME GENTILHOMME : Si c'est un original, il n'y a rien à dire.

Ils sortent.

Scène 4

Une auberge.
Entrent PIERRE STROZZI *et* UN MESSAGER.

PIERRE : Ce sont ses propres paroles ?

LE MESSAGER : Oui, Excellence, les paroles du roi lui-même.

PIERRE : C'est bon. *(Le messager sort.)* Le roi de France protégeant la liberté de l'Italie, c'est justement comme un voleur protégeant contre un autre voleur une jolie femme en voyage. Il la défend jusqu'à ce qu'il la viole. Quoi qu'il en soit, une route s'ouvre devant moi, sur laquelle il y a plus de bons grains que de poussière. Maudit soit ce Lorenzaccio, qui s'avise de devenir quelque chose ! Ma vengeance m'a glissé entre les doigts comme un oiseau effarouché ; je ne puis plus rien imaginer ici qui soit digne de moi. Allons faire une attaque vigoureuse au bourg, et puis laissons là ces femmelettes qui ne pensent qu'au nom de mon père, et qui me toisent toute la journée pour chercher par où je lui ressemble. Je suis né pour autre chose que pour faire un chef de bandits.

Il sort.

Scène 5

Une place. – Florence.
L'ORFÈVRE *et* LE MARCHAND DE SOIE, *assis.*

LE MARCHAND : Observez bien ce que je dis, faites attention à mes paroles. Le feu duc Alexandre a été tué l'an 1536[1],

---

1. L'année commençait à Pâques et non en janvier. La mort

qui est bien l'année où nous sommes — suivez-moi toujours. — Il a donc été tué l'an 1536, voilà qui est fait. Il avait
vingt-six ans; remarquez-vous cela? Mais ce n'est encore
rien; il avait donc vingt-six ans, bon. Il est mort le 6 du
mois; ah! ah! saviez-vous ceci? n'est-ce pas justement le 6
qu'il est mort? Écoutez maintenant. Il est mort à six heures
de la nuit[1]. Qu'en pensez-vous, père Mondella? voilà de
l'extraordinaire, où je ne m'y connais pas. Il est donc mort
à six heures de la nuit. Paix! ne dites rien encore. Il avait six
blessures. Eh bien! cela vous frappe-t-il à présent? Il avait
six blessures, à six heures de la nuit, le 6 du mois, à l'âge de
vingt-six ans, l'an 1536. Maintenant, un seul mot — il avait
régné six ans.

L'ORFÈVRE: Quel galimatias me faites-vous là, voisin?

LE MARCHAND: Comment! comment! vous êtes donc
absolument incapable de calculer? vous ne voyez pas ce qui
résulte de ces combinaisons surnaturelles que j'ai l'honneur
de vous expliquer?

L'ORFÈVRE: Non, en vérité, je ne vois pas ce qui en résulte.

LE MARCHAND: Vous ne le voyez pas? Est-ce possible, voisin, que vous ne le voyiez pas?

L'ORFÈVRE: Je ne vois pas qu'il en résulte la moindre des
choses. À quoi cela peut-il nous être utile?

LE MARCHAND: Il en résulte que six Six ont concouru à
la mort d'Alexandre. Chut! ne répétez pas ceci comme
venant de moi. Vous savez que je passe pour un homme
sage et circonspect; ne me faites point de tort, au nom
de tous les saints! La chose est plus grave qu'on ne pense,
je vous le dis comme à un ami.

L'ORFÈVRE: Allez vous promener! je suis un homme vieux,

---

d'Alexandre, le 6 janvier, se situait encore en 1536. Cela correspond
selon notre calendrier au 6 janvier 1537.
   1. Environ minuit.

mais pas encore une vieille femme. Le Côme arrive aujour-
d'hui, voilà ce qui résulte le plus clairement de notre affaire,
il nous est poussé un beau dévideur de paroles dans votre
nuit de six Six. Ah! mort de ma vie! cela ne fait-il pas
honte? Mes ouvriers, voisin, les derniers de mes ouvriers,
frappaient avec leurs instruments sur les tables, en voyant
passer les Huit, et ils leur criaient: «Si vous ne savez ni ne
pouvez agir, appelez-nous, qui agirons.»

LE MARCHAND: Il n'y a pas que les vôtres qui aient crié;
c'est un vacarme de paroles dans la ville, comme je n'en ai
jamais entendu, même par ouï-dire.

L'ORFÈVRE: Les uns courent après les soldats, les autres
après le vin qu'on distribue, et ils s'en remplissent la bouche
et la cervelle, afin de perdre le peu de sens commun et de
bonnes paroles qui pourraient leur rester.

LE MARCHAND: Il y en a qui voulaient rétablir le Conseil, et
élire librement un gonfalonier[1], comme jadis.

L'ORFÈVRE: Il y en a qui voulaient, comme vous dites, mais
il n'y en a pas qui aient agi. Tout vieux que je suis, j'ai été au
Marché-Neuf, moi, et j'ai reçu dans la jambe un bon coup
de hallebarde. Pas une âme n'est venue à mon secours. Les
étudiants seuls se sont montrés.

LE MARCHAND: Je le crois bien. Savez-vous ce qu'on dit,
voisin? On dit que le provéditeur, Roberto Corsini, est allé
hier soir à l'assemblée des républicains, au palais Salviati.

L'ORFÈVRE: Rien n'est plus vrai. Il a offert de livrer la forteresse aux amis de la liberté, avec les provisions, les clefs, et
tout le reste.

LE MARCHAND: Et il l'a fait, voisin? est-ce qu'il l'a fait? c'est
une trahison de haute justice.

L'ORFÈVRE: Ah bien oui! on a braillé, bu du vin sucré, et

---

1. Magistrat municipal chargé de veiller à la bonne exécution des
lois.

cassé des carreaux ; mais la proposition de ce brave homme n'a seulement pas été écoutée. Comme on n'osait pas faire ce qu'il voulait, on a dit qu'on doutait de lui, et qu'on le soupçonnait de fausseté dans ses offres. Mille millions de diables ! que j'enrage ! Tenez, voilà les courriers de Trebbio qui arrivent ; Côme n'est pas loin d'ici. Bonsoir, voisin, le sang me démange ! il faut que j'aille au palais.

Il sort.

LE MARCHAND : Attendez donc, voisin ; je vais avec vous.

Il sort. Entre un précepteur avec le petit Salviati, et un autre avec le petit Strozzi.

LE PREMIER PRÉCEPTEUR : *Sapientissime doctor* [1], comment se porte votre Seigneurie ? Le trésor de votre précieuse santé est-il dans une assiette régulière, et votre équilibre se maintient-il convenable, par ces tempêtes où nous voilà ?

LE DEUXIÈME PRÉCEPTEUR : C'est chose grave, Seigneur Docteur, qu'une rencontre aussi érudite et aussi fleurie que la vôtre, sur cette terre soucieuse et lézardée. Souffrez que je presse cette main gigantesque, d'où sont sortis les chefs-d'œuvre de notre langue. Avouez-le, vous avez fait depuis peu un sonnet.

LE PETIT SALVIATI : Canaille de Strozzi que tu es !

LE PETIT STROZZI : Ton père a été rossé, Salviati.

LE PREMIER PRÉCEPTEUR : Ce pauvre ébat de notre muse serait-il allé jusqu'à vous, qui êtes homme d'art si consciencieux, si large et si austère ? Des yeux comme les vôtres, qui remuent des horizons si dentelés, si phosphorescents, auraient-ils consenti à s'occuper des fumées peut-être bizarres et osées d'une imagination chatoyante ?

LE DEUXIÈME PRÉCEPTEUR : Oh ! si vous aimez l'art, et si

---

1. Très sage docteur.

vous nous aimez, dites-nous, de grâce, votre sonnet. La ville ne s'occupe que de votre sonnet.

LE PREMIER PRÉCEPTEUR : Vous serez peut-être étonné que moi, qui ai commencé par chanter la monarchie en quelque sorte, je semble cette fois chanter la république.

LE PETIT SALVIATI : Ne me donne pas de coups de pied, Strozzi.

LE PETIT STROZZI : Tiens, chien de Salviati, en voilà encore deux.

LE PREMIER PRÉCEPTEUR : Voici les vers :

     Chantons la Liberté, qui refleurit plus âpre...

LE PETIT SALVIATI : Faites donc finir ce gamin-là, monsieur ; c'est un coupe-jarret[1]. Tous les Strozzi sont des coupe-jar-rets.

LE DEUXIÈME PRÉCEPTEUR : Allons, petit, tiens-toi tranquille.

LE PETIT STROZZI : Tu y reviens en sournois ? Tiens, canaille, porte cela à ton père, et dis-lui qu'il le mette avec l'estafi-lade[2] qu'il a reçue de Pierre Strozzi, empoisonneur que tu es ! Vous êtes des empoisonneurs.

LE PREMIER PRÉCEPTEUR : Veux-tu te taire, polisson !

Il le frappe.

LE PETIT STROZZI : Aye ! aye ! il m'a frappé.

LE PREMIER PRÉCEPTEUR :

     Chantons la Liberté, qui refleurit plus âpre,
  Sous des soleils plus mûrs et des cieux plus vermeils.

LE PETIT STROZZI : Aye ! aye ! il m'a écorché l'oreille.

LE DEUXIÈME PRÉCEPTEUR : Vous avez frappé trop fort, mon ami.

Le petit Strozzi rosse le petit Salviati.

---

1. Bandit, assassin.
2. Entaille, balafre.

LE PREMIER PRÉCEPTEUR : Eh bien ! qu'est-ce à dire ?

LE DEUXIÈME PRÉCEPTEUR : Continuez, je vous en supplie.

LE PREMIER PRÉCEPTEUR : Avec plaisir, mais ces enfants ne cessent pas de se battre.

> *Les enfants sortent en se battant. Ils les suivent.*

Scène 6[1]

Florence. — Une rue.
Entrent des étudiants et des soldats.

UN ÉTUDIANT : Puisque les grands seigneurs n'ont que des langues, ayons des bras. Holà ! Les boules[2] ! les boules ! citoyens de Florence ne laissons pas élire un duc sans voter.

UN SOLDAT : Vous n'aurez pas les boules ; retirez-vous.

L'ÉTUDIANT : Citoyens, venez ici ; on méconnaît vos droits ; on insulte le peuple.

> *Un grand tumulte.*

LES SOLDATS : Gare ! Retirez-vous.

UN AUTRE ÉTUDIANT : Nous voulons mourir pour nos droits.

UN SOLDAT : Meurs donc.

> *Il le frappe.*

L'ÉTUDIANT : Venge-moi, Roberto, et console ma mère.

> *Il meurt. Les étudiants attaquent les soldats ; ils sortent en se battant.*

---

1. Scène supprimée par Musset dans l'édition de 1853 : le Second Empire aurait-il toléré une telle scène de révolte estudiantine ?

2. Erreur de Musset qui confond les boules pour voter et celles qu'évoque Varchi, les boules figurant sur les armoiries des Médicis.

Scène 7

Venise. – Le cabinet de Strozzi.
PHILIPPE, LORENZO, *tenant une lettre.*

LORENZO : Voilà une lettre qui m'apprend que ma mère est morte[1]. Venez donc faire un tour de promenade, Philippe.

PHILIPPE : Je vous en supplie, mon ami, ne tentez pas la destinée. Vous allez et venez continuellement, comme si cette proclamation de mort n'existait pas.

LORENZO : Au moment où j'allais tuer Clément VII, ma tête a été mise à prix à Rome. Il est naturel qu'elle le soit dans toute l'Italie, aujourd'hui que j'ai tué Alexandre. Si je sortais de l'Italie, je serais bientôt sonné à son de trompe dans toute l'Europe, et à ma mort, le bon Dieu ne manquera pas de faire placarder ma condamnation éternelle dans tous les carrefours de l'immensité.

PHILIPPE : Votre gaieté est triste comme la nuit ; vous n'êtes pas changé, Lorenzo.

LORENZO : Non, en vérité, je porte les mêmes habits, je marche toujours sur mes jambes, et je bâille avec ma bouche ; il n'y a de changé en moi qu'une misère — c'est que je suis plus creux et plus vide qu'une statue de fer-blanc.

PHILIPPE : Partons ensemble ; redevenez un homme. Vous avez beaucoup fait, mais vous êtes jeune.

LORENZO : Je suis plus vieux que le bisaïeul de Saturne[2] — je vous en prie, venez faire un tour de promenade.

---

1. En réalité, Marie Soderini a survécu à son fils.
2. Jeu d'amplification. Saturne, dieu identifié au Kronos des Grecs, n'a pas de bisaïeul. Kronos a été transformé en Chronos, dieu du Temps.

PHILIPPE : Votre esprit se torture dans l'inaction ; c'est là votre malheur. Vous avez des travers, mon ami.

LORENZO : J'en conviens ; que les républicains n'aient rien fait à Florence, c'est là un grand travers de ma part. Qu'une centaine de jeunes étudiants, braves et déterminés, se soient fait massacrer en vain, que Côme, un planteur de choux, ait été élu à l'unanimité — oh ! je l'avoue, je l'avoue, ce sont là des travers impardonnables, et qui me font le plus grand tort.

PHILIPPE : Ne raisonnons point sur un événement qui n'est pas achevé. L'important est de sortir d'Italie ; vous n'avez point encore fini sur la terre.

LORENZO : J'étais une machine à meurtre, mais à un meurtre seulement.

PHILIPPE : N'avez-vous pas été heureux autrement que par ce meurtre ? Quand vous ne devriez faire désormais qu'un honnête homme, pourquoi voudriez-vous mourir ?

LORENZO : Je ne puis que vous répéter mes propres paroles : Philippe, j'ai été honnête. — Peut-être le redeviendrais-je, sans l'ennui qui me prend. — J'aime encore le vin et les femmes ; c'est assez, il est vrai, pour faire de moi un débauché, mais ce n'est pas assez pour me donner envie de l'être. Sortons, je vous en prie.

PHILIPPE : Tu te feras tuer dans toutes ces promenades.

LORENZO : Cela m'amuse de les voir. La récompense est si grosse, qu'elle les rend presque courageux. Hier, un grand gaillard à jambes nues m'a suivi un gros quart d'heure au bord de l'eau, sans pouvoir se déterminer à m'assommer. Le pauvre homme portait une espèce de couteau long comme une broche ; il le regardait d'un air si penaud qu'il me faisait pitié — c'était peut-être un père de famille qui mourait de faim.

PHILIPPE : Ô Lorenzo ! Lorenzo ! ton cœur est très malade. C'était sans doute un honnête homme ; pourquoi attribuer à la lâcheté du peuple le respect pour les malheureux ?

LORENZO : Attribuez cela à ce que vous voudrez. Je vais faire un tour au Rialto[1].

Il sort.

PHILIPPE, *seul* : Il faut que je le fasse suivre par quelqu'un de mes gens. Holà ! Jean ! Pippo ! holà ! *(Entre un domestique.)* Prenez une épée, vous et un autre de vos camarades, et tenez-vous à une distance convenable du seigneur Lorenzo, de manière à pouvoir le secourir si on l'attaque.

JEAN : Oui, monseigneur.

Entre Pippo.

PIPPO : Monseigneur, Lorenzo est mort[2]. Un homme était caché derrière la porte, qui l'a frappé par derrière, comme il sortait.

PHILIPPE : Courons vite ! Il n'est peut-être que blessé.

PIPPO : Ne voyez-vous pas tout ce monde ? Le peuple s'est jeté sur lui. Dieu de miséricorde ! On le pousse dans la lagune.

PHILIPPE : Quelle horreur ! quelle horreur ! Eh quoi ! pas même un tombeau ?

Il sort.

Scène 8

Florence. — La grande place ;
des tribunes publiques sont remplies de monde.
Des gens du peuple accourent de tous côtés.

Vive Médicis ! Il est duc, duc ! il est duc.

LES SOLDATS : Gare, canaille !

---

1. L'actuel pont du Rialto à Venise date de 1592. Il s'agit ici du quartier du Rialto.

2. Lorenzo fut tué le 26 février 1548, onze ans après l'assassinat d'Alexandre.

LE CARDINAL CIBO, *sur une estrade, à Côme de Médicis*: Seigneur, vous êtes duc de Florence. Avant de recevoir de mes mains la couronne que le Pape et César m'ont chargé de vous confier, il m'est ordonné de vous faire jurer quatre choses.

CÔME: Lesquelles, Cardinal?

LE CARDINAL: Faire la justice sans restriction; ne jamais rien tenter contre l'autorité de Charles-Quint; venger la mort d'Alexandre, et bien traiter le seigneur Jules et la signora Julia, ses enfants naturels.

CÔME: Comment faut-il que je prononce ce serment?

LE CARDINAL: Sur l'Évangile.

Il lui présente l'Évangile.

CÔME: Je le jure à Dieu — et à vous, Cardinal. Maintenant, donnez-moi la main. *(Ils s'avancent vers le peuple. On entend Côme parler dans l'éloignement.)*

«Très nobles et très puissants Seigneurs,

«Le remerciement que je veux faire à vos très illustres et très gracieuses Seigneuries, pour le bienfait si haut que je leur dois, n'est pas autre que l'engagement qui m'est bien doux, à moi si jeune comme je suis, d'avoir toujours devant les yeux, en même temps que la crainte de Dieu, l'honnêteté et la justice, et le dessein de n'offenser personne, ni dans les biens ni dans l'honneur, et, quant au gouvernement des affaires, de ne jamais m'écarter du conseil et du jugement des très prudentes et très judicieuses Seigneuries auxquelles je m'offre en tout, et recommande bien dévotement.»

De l'affiche

au texte

Valérie Lagier

De l'affiche au texte

Lorenzaccio[1]

Alfons Mucha

… par la voix d'or de la « divine »…

Lorenzaccio est, dans l'esprit de Musset, une pièce
conçue pour la lecture plus que pour le jeu des acteurs.
On connaît l'anecdote selon laquelle en 1830 l'échec
complet de l'auteur au théâtre le décide à écrire désormais « des spectacles dans un fauteuil », des pièces que la
scène de son temps est en tout cas incapable de représenter. La longueur du texte, qui porte la représentation complète à six heures, les effets de narration qui
placent certains moments de l'action trop visiblement
à l'extérieur ont longtemps rendu prétendument
injouable cette tragédie romantique en cinq actes. Mais
le thème même du drame, l'assassinat politique, n'aurait
de toute façon jamais pu être autorisé par la censure
sous Louis-Philippe ou Napoléon III. Musset ne verra
donc jamais son œuvre, parue en 1834, incarnée sur
scène et il faudra attendre 1896 et la Troisième République, pour que le texte prenne vie par la bouche et le
talent de Sarah Bernhardt. Encore cette incarnation
s'est-elle faite au prix de graves remaniements pour

---

1. 1896, lithographie en couleurs 195 × 70 cm, Paris.

adapter le texte aux possibilités scéniques du temps et aux exigences de l'actrice. Pour couler par la voix d'or de la «divine» Sarah jusqu'aux oreilles du public, le texte est amputé, réécrit et édulcoré par Armand d'Artois. L'acte V est, par exemple, totalement supprimé. Mais la plus grande distorsion apportée au texte par cette mise en scène est avant tout ce parti étonnant qui donne à Lorenzaccio les traits et le corps d'une femme, déguisée en homme. Caprice de l'actrice, certes, mais qui confère en tout cas au personnage une ambiguïté sexuelle qui n'est pas absente du texte de Musset. En effet, lorsqu'il évoque ses relations avec le duc, Lorenzo ne déclare-t-il pas : «pour devenir son ami, et acquérir sa confiance, il fallait baiser sur ses lèvres épaisses tous les restes de ses orgies» (acte III, scène 3) ? En tout cas, les adaptations successives de la pièce jusqu'en 1952, où Gérard Philipe en propose une interprétation au Théâtre national populaire, offriront toujours le rôle à une femme. En donnant pour la première fois un corps et une voix à Lorenzaccio, Sarah Bernhardt tire le texte de l'ombre et lui assure une notoriété, tout en le trahissant irrémédiablement. L'affiche de Mucha, réalisée en 1896 pour annoncer les représentations de la pièce de Musset au théâtre de la Renaissance, diffuse très largement l'événement et donne soudain une très grande visibilité à l'œuvre. Cette magnifique illustration est pourtant moins une interprétation iconographique du texte d'origine que de la trahison littéraire opérée par la pièce.

… Le choix iconographique est d'une redoutable efficacité…

Dans le format volontairement allongé, défini par Mucha lors de sa première collaboration avec l'actrice,

le peintre et illustrateur tchèque loge à merveille le
corps souple et ondulant de Sarah Bernhardt, les cheveux coupés à la garçonne et vêtue d'un costume
Renaissance sombre, rehaussé de broderies précieuses.
Cette silhouette sinueuse se découpe sur un fond orné
de riches arabesques qui rappellent les motifs des
étoffes somptueuses du temps de Lorenzo. Une arche
semi-circulaire sert d'écrin à la figure, soulignée, sur
son pourtour, d'une bordure sur laquelle s'étale en
caractères romains : « Sarah Bernhardt, Anno Domini
MDCCCXCVI » (Sarah Bernhardt, année 1896). Un
monstre hideux et ailé, un dragon à la gueule féroce,
symbolisant le duc Alexandre, déploie son corps hérissé
d'arêtes autour du cintre de la niche. Un blason s'inscrit clairement entre le visage de Lorenzo et la tête du
monstre : celui des Médicis, famille à laquelle ils appar-
tiennent tous deux. Au pied de Lorenzaccio, sous le
drapé souple de sa traîne, on devine une dague, qui
résume tout le propos du drame. Le choix iconographique de l'artiste est d'une redoutable efficacité
visuelle. Synthétique à l'excès, celui-ci ne retient, de la
complexe succession de scènes bâtissant la tragédie,
que les éléments les plus significatifs. Mais la richesse
du texte, qui construit peu à peu les contours d'une
personnalité multiforme et changeante, celle de Lorenzo
voulant racheter la bassesse de son destin par une
action d'éclat, un meurtre rédempteur, ne peut s'incar-
ner que de manière superficielle dans ce programme
visuel. Il s'agit avant tout, pour l'artiste, de cerner en
quelques traits le parfum d'une époque, la Renaissance, et de suggérer le propos général de l'histoire, un
meurtre, sans entrer dans les arcanes de la psychologie
complexe de ce héros qui n'en est pas un. Mais, plus
que la gloire de Musset, cette affiche chante les louanges

de l'actrice qui prête sa voix et son âme au texte. Le format très vertical permet à l'illustrateur d'offrir à Sarah Bernhardt une figure en pied, grandeur nature, et de rendre un hommage appuyé à son incroyable présence scénique. L'effet visuel produit par ces gigantesques affiches déployées dans tout Paris, sur les colonnes Morris, était propre à attirer le regard et à susciter l'admiration du public, fasciné par l'élégance juvénile de l'actrice, pourtant âgée de plus de cinquante ans mais transfigurée par son talent ensorcelant dès lors qu'elle était habitée par un rôle. Devenue, comme toutes les affiches réalisées par Mucha durant les six années de contrat avec son auguste patronne, une véritable pièce de collection, l'affiche de *Lorenzaccio* est avant tout un reflet de la manière dont Sarah Bernhardt perçoit son personnage et entend le voir traduit en image. Produite dans un cadre contractuel entre l'artiste et son commanditaire, cette œuvre est donc le résultat combiné du talent de l'un et des exigences de l'autre.

… Une alchimie parfaite entre l'affiche et le spectacle…

Les termes de leur collaboration sont fixés dès leur première rencontre, lorsque Mucha, présent par hasard au studio Lemercier en 1894 pour corriger des épreuves à la place d'un ami, se retrouve seul présent pour répondre à la commande urgente d'une affiche pour la pièce *Gismonda* de Victorien Sardou, dont le premier projet ne satisfaisait pas Sarah Bernhardt. Cet essai, qui lui est confié par le directeur de Lemercier, en l'absence de ses illustrateurs habituels, conduit l'artiste à inventer une formule totalement novatrice, inspirée des affiches précédemment créées pour l'actrice par Grasset, Orazi et Gorguet. Le génie de Mucha est d'avoir su trouver une image à la fois efficace et élégante, hiératique et expressive, qui s'adapte harmonieusement au cadre contraint de l'affiche. Loin des coloris volontairement denses des créations précédentes, Mucha mise sur une gamme colorée délicate et fait un usage immodéré de l'arabesque et des motifs précieux d'or et d'argent. Les traits de figures, même extrêmement simplifiés, sont toujours d'une incroyable précision synthétique. Deux bandeaux de texte s'insèrent comme des cartouches en haut et en bas de l'image centrale. Durant six années, Mucha contribue aux entreprises théâtrales de Sarah Bernhardt non seulement par la réalisation des affiches, mais par la création de costumes et de décors. L'artiste dessine également des accessoires de théâtre et des bijoux pour certaines pièces, comme le diadème floral de *La Princesse lointaine* ou le bracelet-serpent de *Médée*. Participant aux répétitions des acteurs et aux discussions sur les productions à venir, Mucha peut donc s'imprégner complètement du sujet de la pièce, de son atmosphère, avant de proposer une identité visuelle à celle-ci. L'alchimie, entre tous les éléments de la mise en scène et le support de communication du spectacle qu'est l'affiche, est donc totale. Soigneusement préparée par des ébauches à l'encre de Chine et à l'aquarelle, dans un format identique, l'illustration est ensuite traduite sur la pierre lithographique, encrée en couleurs avant d'être imprimée sur papier. On sait que le format très allongé de ses affiches obligeait Mucha à imprimer la partie haute et la partie basse de sa composition, côte à côte, sur une même pierre rectangulaire. À chaque étape du travail, l'actrice valide le projet, le corrige et lui insuffle sa propre vision du spectacle. Si Sarah Bernhardt est la chance de Mucha, puisque cette collaboration lui ouvre les portes de la célébrité, l'artiste est en retour son meilleur conseiller en communication. Il a su traduire graphiquement le talent expressif de l'actrice, sentir son jeu scénique et en tirer l'essence dramatique pour rendre compte en peu de traits de l'atmosphère d'une pièce.

… cette élégante fusion entre femme et fleur…

L'esthétique très décorative de l'œuvre est un pur reflet de la légèreté du temps, cette Belle Époque insouciante qui assure la transition entre le XIXe et le XXe siècle. L'Art Nouveau, qui fleurit alors et dont Mucha est un des créateurs, investit avant tout dans les souples arabesques et les motifs raffinés et délicats, construits à partir de formes végétales. Cet art tout en courbes et en volutes, exagérément chargé, fait de la femme le plus précieux de ses motifs. Une osmose formelle s'établit, dans nombre de créations esthétiques du temps, entre ses courbes ondulantes et les délicates corolles florales, dont toutes les espèces se prêtent à une transcription stylisée. C'est cette élégante fusion entre femme et fleur que Mucha poursuit au gré de ses productions, de l'affiche à l'illustration de livres en passant par les bijoux et les objets décoratifs. Ce schéma compositionnel n'épargne pas l'affiche de *Lorenzaccio*. Le raffinement des motifs floraux qui habillent le fond de l'affiche répond à la somptuosité des broderies rehaussant le costume de l'actrice, et cette densité d'éléments graphiques contribue à noyer le personnage dans son environnement. Le dragon plie les formes compliquées de sa hideuse carcasse à l'espace réduit que l'artiste lui accorde, convertissant de son corps le cintre de l'arche

en une forme rectangulaire. Il n'y a aucune place pour
le vide dans cette composition, toutes les formes s'imbri-
quent comme un puzzle dont aucune pièce ne manque.
Le traitement en aplat de la couleur, sans volume et
sans ombre, nie la profondeur de l'espace et brouille la
vision du spectateur. Opaque et frontale, la composition ne se laisse pénétrer qu'après un regard appro-
fondi, lorsque l'œil parvient à isoler les formes et les
reconstruire mentalement pour les identifier. Cette
superficialité de l'œuvre, ce parti décoratif, repris dans
toutes les affiches créées par Mucha pour Sarah Bernhardt, d'*Hamlet* à *La Dame aux camélias*, de *Lorenzaccio* à
Médée, conduit à une certaine uniformité visuelle, à un
effet de style qui tend à gommer l'extrême diversité
des propos littéraires d'origine. La langue de Musset
comme celle de Shakespeare, filtrées par le talent de
Sarah Bernhardt, adoptent chez Mucha une même traduction picturale, raffinée et légère. De ces drames ter-
ribles, l'affiche ne garde qu'un tragique de surface, une
violence retenue et politiquement correcte. Et chez
Musset, la dimension révolutionnaire, engagée, subver-
sive, dont la transposition à la Renaissance ne serait pas
parvenue à éteindre la portée pour ses contemporains,
se trouve assagie, dans la pièce comme dans l'affiche,
puisque le public de Sarah Bernhardt ne peut plus
en mesurer l'impact, n'en possède plus les références.
En 1896, les événements de 1830 sont bien loin et bien
oubliés. Et le parfum de soufre qui aurait accompa-
gné sa production en 1834 n'est plus qu'une senteur
légère.

... les restes du drame...

On ne peut que s'interroger sur l'éventuelle affiche qui aurait salué, du vivant de Musset, la sortie de la pièce. Proche du texte, contrôlée par son auteur, elle n'aurait pu que rendre justice à la complexité noire de l'histoire, à l'évidente duplicité du personnage de Lorenzo, ange et démon, lâche au sursaut de courage, terriblement humain. Elle aurait probablement usé de contrastes, d'ombre et de lumière, quand Mucha, détaché du texte et attaché au jeu de l'actrice, n'en donne qu'une vision lumineuse et fastueuse. Brillante et séduisante, cette affiche ne revient pas à la source, elle cueille sur les lèvres de l'actrice les restes du drame, les miettes de la tragédie. Car l'acteur qui s'empare d'un rôle se l'approprie, s'identifie au personnage avec son vécu propre. Et la noirceur romantique de Musset ne vit pas de la même manière dans le corps et la voix de Sarah Bernhardt, elle lui insuffle l'esprit de son temps. Le théâtre comme la littérature résonnent selon un son différent à chaque époque. La trame de l'histoire reste vivante, les sous-entendus se taisent. Et chaque lecture, au fil du temps, voit disparaître une partie du sens, le pare d'un nouveau. Le texte revit dans la bouche de l'acteur et dans l'esprit du lecteur. Le Lorenzaccio de Sarah Bernhardt et de Mucha n'est pas celui de Musset, mais il est celui que les gens de 1896 sont prêts à entendre et à comprendre. Et celui que l'on vit aujourd'hui intérieurement à la lecture de la pièce est encore un autre personnage, dont on perçoit la psychologie complexe sans toutefois en pénétrer tous les replis. Une même distance temporelle nous sépare de l'affiche de Mucha et nous condamne à n'en recevoir qu'une

vision tronquée. La grande familiarité acquise aujour-
d'hui avec la fabuleuse production graphique de cet
artiste nous interdit de revivre et de comprendre la
modernité incroyable qu'elle a pu représenter pour ses
contemporains. Si une égale érosion touche avec le
temps les œuvres littéraires et picturales, il y a, dans
toute création, une part qui perdure sans s'éteindre,
qui est irréductible à la mode. Cette essence de l'art, ce
véhicule de la beauté et de la poésie fondamentale qui
ne meurt pas avec son auteur communique alors quelque
chose d'étrange à celui qui lit ou celui qui regarde, par-
delà le temps et l'espace, une parcelle de sens universel,
un fragment d'humanité pure, rescapé des désordres
de l'histoire.

Le texte

en perspective

Olivier Bara

Mouvement littéraire

Le romantisme autour de 1830

UN PROFOND MALENTENDU est entretenu autour
du mot «romantisme», confondu avec la sentimenta-
lité souvent niaise d'un héros fade et le décor de paco-
tille d'un coucher de soleil sur la mer. Le romantisme,
quant il ne se résume pas à des clichés, se limiterait à
une posture morale et psychologique, voire patholo-
gique : l'effusion lacrymale. L'approche thématique est
également simplificatrice quand elle égrène les sujets
de plainte : la fuite du temps, l'amour, la mort. L'essentiel du romantisme se trouve alors évacué : sa dimension idéologique, sociale et politique, indissociable d'une
interrogation portée sur une histoire décevante. Les
bouleversements rapides ouverts par la Révolution française, sa récupération et sa trahison par le pouvoir auto-
ritaire de Napoléon Ier, la Restauration des Bourbons
puis l'échec de la Révolution de 1830 pour les républicains : autant de fractures, autant de traumatismes
engageant à interroger la relation de l'individu à l'histoire collective. Sur les décombres du monde ancien et
sur les fondations de la société moderne, parmi les
«débris» et les «semences» encore indifférenciés dira
Musset, les romantiques engagent une quête du sens.

1.
Romantisme et Histoire

1. *« Cœur plein », « monde vide » : le premier romantisme*

Au début du XIXe siècle, s'exprime un trouble méta-physique dont les symptômes sont l'ennui de la vie et le sentiment de la vanité de tout effort. La génération qui a vécu la Révolution, celle de Senancour ou Chateau-briand, affronte le sentiment du vieillissement préma-turé du monde. Dans les tourments de l'Histoire, l'unité primitive de l'être et de l'univers semble s'être perdue. Seule demeure, pour refonder l'accord du moi avec le monde, l'évasion dans la nature, la fuite dans le passé, l'abandon à la rêverie.

Dans le *Génie du christianisme*, en 1802, Chateau-briand voit dans le progrès de la civilisation l'approfon-dissement d'une crise au cœur de l'être humain. Le savoir est trompeur et desséchant car l'analyse des pas-sions remplace désormais la vie immédiate (*Génie du christianisme*, II, III, 9) :

> Plus les peuples avancent en civilisation, plus cet état du vague des passions augmente ; car il arrive alors une chose fort triste : le grand nombre d'exemples qu'on a sous les yeux, la multitude de livres qui traitent de l'homme et de ses sentiments, rendent habile sans expérience. On est détrompé sans avoir joui ; il reste encore des désirs, et l'on n'a plus d'illusions. L'imagi-nation est riche, abondante et merveilleuse ; l'existence pauvre, sèche et désenchantée. On habite, avec un cœur plein, un monde vide ; et sans avoir usé de rien, on est désabusé de tout.

Ce premier romantisme — qui ne porte pas encore ce nom — est royaliste et catholique : il conteste l'idéologie des Lumières et du siècle de la Raison, responsable de la perte de l'élan vital et de la foi. Il oppose au siècle de Voltaire le merveilleux chrétien. Il cultive la nostalgie d'une plénitude perdue, d'une relation harmonieuse à soi et au monde.

Sous la Restauration, le romantisme se constitue en école. Il se structure autour de journaux et de groupuscules littéraires. Entre 1819 et 1821, *Le Conservateur littéraire*, journal des frères Hugo, se met au service «du trône et de la littérature». En 1823, *La Muse française*, où l'on retrouve Victor Hugo, devient l'organe du courant romantique. La Société des Bonnes-Lettres, aristocratique, encourage de son côté la nouvelle sensibilité littéraire. Dans son salon de la bibliothèque de l'Arsenal, Charles Nodier donne au romantisme l'assise mondaine et la solidité des liens amicaux.

2. *Romantisme et politique*

Ce romantisme royaliste s'oppose aux libéraux, héritiers de la pensée du XVIIIe siècle et attachés aux règles classiques. Pourtant, un journal libéral comme *Le Globe* s'intéresse à l'effervescence poétique et artistique des années 1820. Stendhal contribue aussi à faire entrer les idées romantiques (ce qu'il appelle encore «romanticisme» chez les libéraux lorsque, dans *Racine et Shakespeare*, il définit la littérature romantique comme l'accord de l'écrivain avec son époque : ce faisant, il introduit le mot «romantisme» dans la langue française. Enfin, lorsque le 6 juin 1824, Chateaubriand est chassé de son ministère des Affaires étrangères, le divorce entre le courant romantique et le régime politique ultra est symboliquement consommé.

La jonction entre les deux romantismes, libéral, bourgeois anticlérical d'un côté, aristocratique, monarchiste et religieux de l'autre, s'opère avec Victor Hugo. Dans la Préface de la troisième édition des *Odes et Ballades*, en 1826, le poète défend la liberté créatrice contre toutes les prescriptions extérieures. En 1830, dans la Préface d'*Hernani*, il définit le romantisme comme « le *libéralisme* en littérature » : « La liberté dans l'art, la liberté dans la société, voilà le double but auquel doivent tendre d'un même pas tous les esprits conséquents et logiques. » Le « Cénacle » de Victor Hugo rassemble la jeune génération des poètes et des artistes, parmi lesquels un Musset âgé de vingt ans à peine.

3. *1830 : une révolution escamotée*

Nouveau sursaut de l'histoire, nouvel anéantissement des idéaux de liberté : les « Trois Glorieuses » journées de juillet 1830 débouchent sur une profonde désillusion. La révolution a été déclenchée par les ordonnances du ministère Polignac, restreignant encore le corps électoral : le suffrage censitaire lie le droit de vote à l'impôt, donc à la fortune. Commerçants et industriels cessent leurs activités, les ouvriers dressent les barricades. Ouvriers, étudiants, républicains se battent pour le droit et la liberté. Mais ce sont les orléanistes qui récupèrent la mise : le duc d'Orléans devient lieutenant général du royaume sur fond de drapeau tricolore, avant d'être Louis-Philippe, roi des Français. « Je vois avec dégoût s'élever des nuées d'ambitieux et de serviles qui se disaient hier ennemis du pouvoir et qui l'encensent aujourd'hui », écrit George Sand le 15 août 1830.

Le nouveau régime ne tardera pas à révéler son vrai

visage : celui de la répression au nom de la sécurité et de l'ordre. Alors que les idéologies sociales comme le saint-simonisme, le fouriérisme et le catholicisme libéral d'un Lamennais se sont développées avant 1830, toute tentative de réforme politique s'avère impossible malgré le changement de régime. Les émeutes se multiplient dans les cinq premières années de la monarchie de Juillet ; toutes sont violemment écrasées. La loi sur les associations en 1834 s'attaque aux sociétés ouvrières et républicaines luttant pour la liberté et le progrès social, comme la Société des Droits de l'Homme et du Citoyen. Après l'attentat de Fieschi contre Louis-Philippe, en 1835, les lois de septembre renforcent encore la répression contre toute atteinte au gouvernement et au roi.

Après la gérontocratie de Louis XVI et Charles X, la jeunesse est encore exclue de la responsabilité et du pouvoir politiques sous le nouveau régime : il fallait avoir quarante ans pour être élu député et trente ans pour être électeur sous la Restauration ; après 1830, il faut encore avoir respectivement trente et vingt-cinq ans. Pour la jeunesse issue des classes moyennes, la société paraît bloquée alors qu'elle devrait permettre l'épanouissement individuel. Sous le roi bourgeois et son gouvernement de boutiquiers, le règne de l'argent remplace le pouvoir de la naissance. L'art s'affirmera alors, dans le romantisme, comme valeur antibourgeoise, le culte du Beau rompant avec l'ordre de l'Utile. Les romantiques seront tentés de se poser en nouvelle aristocratie intellectuelle et artistique.

Reste pourtant l'impression tenace qu'on a laissé passer l'occasion d'agir. De cet élan contrarié et de cette promesse déçue naît l'image du jeune homme romantique. Errant à la périphérie de la société, il peine à y trouver sa place, à s'affirmer sujet agissant, à s'accomplir dans une action dont il soit pleinement responsable. Son impatience de vivre se heurte aux nouvelles réalités politiques et économiques : les repères anciens se sont effondrés ; les perspectives d'avenir ont été dérobées.

4. *Le siècle du désenchantement*

Le sentiment d'étrangeté au monde prédomine : le rapport au monde est discordant ; la relation à l'Histoire est faite de frustrations. Vigny appelle cela « spleen » dans *Stello* : « J'ai le spleen, et un tel spleen, que tout ce que je vois, depuis qu'on m'a laissé seul, m'est en dégoût profond. J'ai le soleil en haine et la pluie en horreur. » Ce sentiment de déréliction se manifestait déjà chez Lamennais en 1820, dans son *Essai sur l'indifférence en matière de religion* : « Tous les liens sont brisés, l'homme est seul ; la foi sociale a disparu, les esprits abandonnés à eux-mêmes ne savent pas où se rendre ; on les voit flotter au hasard dans mille directions contraires. » Autre mot symptomatique du romantisme : l'ennui, « ce mal horrible qui s'est attaché à la génération présente plus qu'à toute autre époque de l'histoire sociale », écrit George Sand dans *Valentine*, en 1832. Le mot « désenchantement » apparaît sous la plume de Balzac constatant en octobre 1830 que « la révolution de Juillet a été enterrée sous le repavage des rues ».

En 1830 également, le mot « siècle » fait son apparition dans son acception historique et non plus seulement religieuse : signe d'une conscience aiguë d'appartenir à une époque unique, source du mal moral. Les romantiques de 1830 sont les enfants « d'un siècle sans espoir », selon la formule de Musset dans *Rolla*. *La Confession d'un enfant du siècle* paraît en 1836. Dans *Fantasio*, publié la même année que *Lorenzaccio*, Musset évoque par le biais de son personnage Spark « l'histoire du siècle entier » : « L'éternité est une grande aire, d'où tous les siècles, comme de jeunes aiglons, se sont envolés tour à tour pour traverser le ciel et disparaître ; le nôtre est arrivé à son tour au bord du nid ; mais on lui a coupé les ailes, et il attend la mort en regardant l'espace dans lequel il ne peut s'élancer » (acte I, scène 2).

Le désaccord vertigineux entre la plénitude des désirs et le vide de la réalité se révèle mortifère.

2.

Désespérance :
Le romantisme de Musset

Le mot *désespérance* apparaît en italiques dans *La Confession d'un enfant du siècle* où Musset évoque, en 1836, « une dénégation de toutes choses du ciel et de la terre, qu'on peut nommer désenchantement, ou, si l'on veut, *désespérance* » (I, II). Le mot dit le malaise métaphysique et existentiel. Il exprime le « déficit d'être » propre à une génération dont Musset se fait, grâce à sa posture de victime exemplaire, le porte-parole. Les vicissitudes de l'histoire, d'une histoire qui échappe aux volontés et lamine toute espérance, sont à l'origine d'une profonde maladie morale. Musset en est l'analyste cruellement lucide.

1. *Représenter 1830 en 1537 : déplacements et anachronismes*

On trouvera rarement chez Musset des commentaires directs de l'histoire de son temps, quelques paroles désabusées ou sarcastiques mises à part. Le dandy feint l'indifférence et use du masque de l'ironie ou du cynisme, comme s'il glissait sur la surface du réel. Pourtant, son œuvre baigne dans l'histoire et dans la politique, objets d'investigation et d'interprétation : les questions morales, chez Musset, se trouvent soulevées à partir des problèmes sociaux des années 1830. De même, c'est à partir d'expériences douloureuses, intimes, que Musset embrasse la tragédie humaine de son siècle. Cette conscience d'un lien organique unissant l'individu à la collectivité, la partie au tout, est proprement romantique.

L'histoire de 1830 hante *Lorenzaccio*, mais de manière insidieuse et complexe. Sa présence est métaphorique dans le drame : il résulte d'un jeu de déplacements et d'anachronismes. La barbe des républicains (« Regardez comme ma barbe est coupée », acte II, scène 4) renvoie ainsi à 1830 et non aux Florentins de 1537. La multiplication des émeutes en France en ces années 1830 est suggérée par la révolte des étudiants de Florence (acte V, scène 6). Surtout, le thème du carnaval développé dans la pièce caractérise le nouveau pouvoir sous Louis-Philippe. Le premier article de Musset dans *La Revue des Deux Mondes* en 1833 n'était-il pas une critique de l'opéra de Scribe et Auber, *Gustave III, ou le Bal masqué* ? Cet ouvrage lyrique résumait les débuts de la monarchie de Juillet en deux éléments symboliques : le carnaval, à travers le galop enfiévré composé par Auber, et le choléra évoqué par les teintes morbides d'une décoration de Ciceri. Triomphe du masque et règne de la mort : le régime de Juillet est une énorme mystification, et la bourgeoisie danse sur des cadavres.

La Florence de 1537, dans le drame, résonne aussi des accents du carnaval et voit la mort rôder dans ses rues et ses palais. À travers ce thème carnavalesque, *Lorenzaccio* aborde, toujours de biais, la question de la légitimité du pouvoir. Florence est gouvernée par un butor travesti en roi, le duc Alexandre, bâtard du pape, époux d'une bâtarde de Charles Quint. Il n'est qu'un prince fantoche, assouvissant grâce au pouvoir ses désirs sexuels. N'est-ce pas la construction, dans le détour par la fiction historique et dramatique, d'une image violemment satirique du nouveau régime orléaniste, ce régime où le monarque bourgeois a vidé de toute valeur les symboles de la royauté ?

Enfin, se lit en creux dans la pièce la nostalgie d'une société où l'art, la pensée et l'action se rencontraient harmonieusement pour servir la communauté humaine. C'est de cette cité perdue, reflet inversé de la société bourgeoise moderne, que le romantique porte le deuil douloureux.

Mais *Lorenzaccio* n'est pas le reflet de Juillet 1830. Seul le cinquième acte entretient une relation évidente avec le climat désenchanté de l'après-Juillet, quand on s'aperçut que tout changeait pour que rien, au fond, ne change. Dans le drame, contrairement à l'histoire de 1830, aucun changement dynastique ne se produit. La France de Juillet passe des Bourbons aux Orléans. Florence en 1537 passe d'un Médicis à un autre Médicis. La relation entretenue entre l'histoire représentée dans *Lorenzaccio* et l'histoire contemporaine de sa rédaction est donc profondément ambiguë. L'histoire de 1830 se lit dans *Lorenzaccio* comme en une anamorphose : l'image

en est déformée et ne se perçoit que sous certains
angles. Dans cette relation trouble, distante et biaisée
au présent se lit l'interrogation éperdue d'une histoire
qui échappe. *Lorenzaccio* rappelle ainsi qu'il n'est pas de
conscience historique sans textualisation de l'histoire.
Celle-ci se projette dans la fiction, et l'écriture interroge sa signification problématique.

2. *« Je suis venu trop tard dans un monde trop vieux »*

Né vingt ans plus tard que Lamartine, Musset est un
enfant précoce et a mené l'analyse du mal du siècle
avec une acuité exceptionnelle. Dans *Rolla*, miroir
tendu par Musset à la jeunesse de 1830, le rapport au
monde apparaît profondément mélancolique : la génération romantique éprouve un sentiment de manque et
de perte dans une société fermée, dénuée d'idéal, à
laquelle font défaut les principes éthiques et religieux
exclus par les déicides révolutionnaires. La Révolution,
celle de 1789 comme celle de 1830, a accouché de la
société moderne, façonnée par l'esprit voltairien de
la bourgeoisie libérale :

> Vous vouliez faire un monde. — Eh bien, vous l'avez fait.
> Votre monde est superbe, et votre homme est parfait !
> Les monts sont nivelés, la plaine est éclaircie ;
> Vous avez sagement taillé l'arbre de vie ;
> Tout est bien balayé sur vos chemins de fer,
> Tout est grand, tout est beau, mais on meurt dans votre air.
>
> (*Rolla*, IV)

La Confession d'un enfant du siècle affine l'analyse de la
mélancolie romantique sous la Restauration. Le trauma-
tisme historique est la cause essentielle de la souffrance

d'une génération entière. La Première République a sombré dans la Terreur ; la grandeur impériale s'est effondrée pour laisser revenir les fantômes de l'Ancien Régime : « Toute la maladie du siècle présent vient de deux causes : le peuple qui a passé par 1793 et par 1814 porte au cœur deux blessures. Tout ce qui était n'est plus ; tout ce qui sera n'est pas encore. Ne cherchez pas ailleurs le secret de nos maux » (I, II). La génération romantique est perdue entre deux rives lointaines, sans le secours du passé ni la promesse sûre de l'avenir :

> Trois éléments partageaient donc la vie qui s'offrait alors aux jeunes gens : derrière eux un passé à jamais détruit, s'agitant encore sur ses ruines, avec tous les fossiles des siècles de l'absolutisme ; devant eux l'aurore d'un immense horizon, les premières clartés de l'avenir ; et entre ces deux mondes… quelque chose de semblable à l'Océan qui sépare le vieux continent de la jeune Amérique, je ne sais quoi de vague et de flottant, une mer houleuse et pleine de naufrages, traversée de temps en temps par quelque blanche voile lointaine ou par quelque navire soufflant une lourde vapeur ; le siècle présent, en un mot, qui sépare le passé de l'avenir, qui n'est ni l'un ni l'autre et qui ressemble à tous deux à la fois, et où l'on ne sait, à chaque pas qu'on fait, si l'on marche sur une semence ou sur un débris.
>
> (*La Confession d'un enfant du siècle*, I, II)

Plus profondément, le rapport problématique à la figure d'autorité, incarnant la loi, caractérise cette jeunesse orpheline d'un père déchu, admirable mais illégitime : Napoléon Ier. Ce dernier, pendant la prime enfance de Musset, quittait le terrain de l'action pour entrer dans la légende et le mythe. Il incarne dans l'imaginaire romantique l'énergie, selon une conception dynamique de l'être. Mais Napoléon est aussi le père illégitime d'une nation dont il fut le tyran avide de sacrifices. Sa disparition laisse un vide chez les romantiques, orphelins de la grandeur. Elle laisse aussi un doute fondamental sur la légitimité de toute autorité. Le héros romantique cherche à se poser en s'opposant aux symboles de la Loi. Or, il ne découvre en face de lui que des fantoches, des figures dérisoires de pères le renvoyant à sa propre bâtardise : « Napoléon mort, les puissances divines et humaines étaient bien rétablies de fait ; mais la croyance en elles n'existait plus » (I, II). D'un côté, le politique suscite méfiance et scepticisme, toute autorité étant désormais suspecte. De l'autre, la révolte se révèle vaine et stérile dès lors que la loi s'incarne en un roi de carnaval. Comment être sans se révolter, mais comment agir sans prostituer son être ? *Lorenzaccio* est l'expression de ce désarroi condamnant le héros, enfermé dans l'échec prévisible d'une révolte solitaire, à l'immaturité.

3. *« Un lynx dans les entrailles »*

La réaction de Musset face à cet effondrement des espérances relève de la politique du pire, obéissant à un « instinct du malheur ». L'aspiration par la débauche rejoint le projet suicidaire d'appréhender toute l'horreur du monde et de l'être : certains hommes « se prennent d'amour pour le noyé livide qu'ils ont senti au fond des eaux. Ils le saisissent, le palpent, l'étreignent ; les voilà ivres du désir de connaître [...] et il leur naît un lynx dans les entrailles » (*La Confession d'un enfant du siècle*, V, IV). C'est une manière de se trouver et de s'affirmer non pas positivement, dans l'action collective et le don solidaire de soi, mais par l'expérience négative d'une plongée solitaire aux abîmes. Le romantisme de Musset est un art de cultiver l'échec et d'alimenter la souffrance, renforcée par la nostalgie des rêves de pureté d'autrefois. Il s'agit de vivre une passion, au sens christique du terme, où les tortures morales donnent le sentiment d'être à soi et au monde. L'authenticité de cet accord avec soi et autrui dépend de l'intensité de la douleur ressentie.

Le dédoublement et le masque entretiennent alors cette souffrance morale. Certes, au théâtre, le masque permet de dire les faux-semblants d'une société où les apparences constituent toute la réalité : le personnage en deuil de l'authenticité perdue se déguise pour faire tomber les masques. Fantasio déguisé en bouffon pêche ainsi la perruque de l'aide de camp travesti en prince de Mantoue. Mais le masque constitue une malédiction quand il révèle une dimension fondamentale de l'être, l'unité perdue d'un moi diffracté que le héros n'assume ni ne rejette. Le masque colle au visage et brûle comme la tunique de Nessus. Telle est la dernière passion des héros de Musset, et de Lorenzaccio en particulier.

Pour prolonger la réflexion

En complément des œuvres de Musset citées dans la chronologie, voici un choix de recueils poétiques, de romans et d'essais pour la compréhension du romantisme autour de 1830 :

1829 Victor Hugo, *Les Orientales*
     Prosper Mérimée, *Chronique du règne de Charles IX*
1829-1830 Charles-Augustin Sainte-Beuve, *Vie, poésies et pensées de Joseph Delorme*
1830 Alphonse de Lamartine, *Harmonies poétiques et religieuses*
     Stendhal, *Le Rouge et le Noir*
1831 Honoré de Balzac, *La Peau de chagrin*
     Victor Hugo, *Notre-Dame de Paris*; *Les Feuilles d'automne*

1832 Charles Nodier, *La Fée aux miettes*
      Alfred de Vigny, *Stello*
      George Sand, *Indiana*
1833 George Sand, *Lélia*
      Edgar Quinet, *Ahasvérus*
1834 Félicité de Lamennais, *Paroles d'un croyant*
      Charles-Augustin Sainte-Beuve, *Volupté*
1835 Victor Hugo, *Les Chants du crépuscule*
      Honoré de Balzac, *Le Père Goriot*
1836 Honoré de Balzac, *Le Lys dans la vallée*
      Alphonse de Lamartine, *Jocelyn*
1837 George Sand, *Lettres d'un voyageur*
1837-1843 Honoré de Balzac, *Illusions perdues*

Textes critiques sur le romantisme

Paul BÉNICHOU, *Les Mages romantiques; L'École du désenchantement*, Paris, Gallimard, collection «Bibliothèque des idées», 1988 et 1992

Pierre LAFORGUE, *1830. Romantisme et Histoire*, Saint-Pierre-du-Mont, Eurédit, 2001

Pierre LAFORGUE, *L'Œdipe romantique. Le jeune homme, le désir et l'histoire en 1830*, Grenoble, Ellug, 2002

Claude MILLET, *L'Esthétique romantique. Une anthologie*, Paris, Pocket, collection «Agora», 1994

Max MILNER, *Le Romantisme, I. 1820-1843*, dans «Littérature française», collection dirigée par Claude Pichois, Paris, Arthaud, 1973

Paule PETITIER, *Littérature et idées politiques*, Paris, Nathan, collection «128», 1996

Genre et registre

Le drame romantique en 1834 :
Lorenzaccio, un drame critique ?

EN 1834, LE DRAME romantique vient de connaître une période faste, en partie grâce à l'abolition officielle de la censure dès le début de la monarchie de Juillet. Il compte surtout à son actif quelques brillants succès remportés au théâtre : *Henri III et sa Cour* ou *Antony* d'Alexandre Dumas, *Lucrèce Borgia* de Victor Hugo.

Tandis que le drame romantique est en plein flamboiement malgré quelques revers, *Lorenzaccio* se situe à part, du fait de la décision de Musset de renoncer à toute représentation théâtrale. Musset joue sur un registre différent, la rébellion contre la scène et le public se mêlant chez lui au pessimisme politique. Exploration intime du moi, renoncement à la tribune du théâtre, désacralisation du héros et de la fonction du poète : Musset opte pour un registre résolument critique. Il met le drame, son action, son héros et sa parole, en crise.

1.
Origines du drame romantique

Pour Musset, il faut concevoir la littérature comme « tenant au siècle qui la produit ». Les grands artistes puisent dans leur époque la matière de leurs œuvres, ils « tirent des entrailles de la terre où ils marchent, de la terre boueuse attachée à leurs sandales, une argile vivante et saignante, qu'ils pétrissent de leurs larges mains ». Or, Musset ne constate autour de lui que des formes artistiques dépassées, des « fantômes » des anciens temps : « Que nous dit-on de nous dans les théâtres ? » (« Un mot sur l'art moderne », 1833). Le drame romantique est né de cette volonté de fonder une forme théâtrale nouvelle, susceptible de rendre compte de l'histoire et de la société actuelles que la tragédie classique n'est plus à même de représenter.

Cette mise en cause des formes esthétiques du théâtre, de ses règles et de ses rituels commence bien avant le mouvement romantique. Dès le XVIIIᵉ siècle, les transformations sociales, avec l'émergence d'une classe bourgeoise qui revendiquera bientôt le pouvoir politique, ont entraîné la crise de la poétique classique.

1. *Le drame, instrument de contestation de la poétique classique*

Le mot « drame » découle du grec *drama*, action. Généralement, le drame est un synonyme du théâtre : il désigne un texte de nature théâtrale, contenant une action dramatique. Toutefois, au XVIIIᵉ siècle, le drame devient un genre théâtral à part entière qui vise à dépasser l'opposition entre la comédie et la tragédie.

La caractéristique essentielle de ce nouveau genre est qu'il n'obéit à aucun code préalable et revendique la liberté. Au contraire, la tragédie et la comédie, ou le vaudeville et le mélodrame, sont ou seront des genres codifiés, obéissant à des règles de construction préétablies. La critique Anne Ubersfeld propose la définition suivante du drame *(Le Drame romantique)* : «Peut être dite drame toute œuvre qui, sans considération de forme ou de code, d'*effet* pathétique ou comique, construit une histoire, une *fable* impliquant à la fois des destinées individuelles et un univers "social". »

Le drame est d'abord un instrument de contestation de tout un ensemble de principes érigés en dogmes. En premier lieu est visée la règle des trois unités (unité de lieu, de temps — la règle des vingt-quatre heures — et d'action), élaborée à partir de la *Poétique* d'Aristote et définie par l'abbé d'Aubignac au XVIIe siècle (*Pratique du théâtre*, 1657). On s'attache aussi aux règles de bienséance. Le but était d'assurer la vraisemblance et de favoriser l'illusion théâtrale dans un spectacle centré sur la parole.

2. *Le drame bourgeois*

Parmi les grands théoriciens français du drame figurent Diderot, Beaumarchais et Mercier pour qui la grande tragédie est désormais inapte à exprimer la réalité sociale, économique, humaine du monde contemporain : «Que me font à moi, sujet paisible d'un État Monarchique du dix-huitième siècle, les révolutions d'Athènes et de Rome ? [...] Il n'y a dans tout cela rien à voir pour moi, aucune moralité qui me convienne», écrit Beaumarchais en préface de son drame *Eugénie*, dans son *Essai sur le genre dramatique sérieux* (1767).

Dans ses *Entretiens sur «Le Fils naturel»* (1757), Diderot aspire à la création d'un genre intermédiaire entre la tragédie et la comédie classiques, désormais anachroniques. Il ne s'agit plus de représenter des caractères atemporels comme dans la comédie (le type éternel de l'Avare), ni de montrer la fatalité des grandes passions tragiques. Le drame doit s'attacher aux conditions sociales et familiales, montrer l'individu doté d'un physique particulier comme d'un état civil (artisan ou commerçant), placé dans son environnement quotidien.

L'espace scénique doit devenir un espace mimétique, reproduisant les lieux du monde réel comme si la scène était une pièce d'habitation dont on aurait ôté un mur : cette esthétique vériste constitue la «dramaturgie du quatrième mur». Dans les tableaux représentés, la gestuelle expressive des personnages doit provoquer la sidération du public : sympathie, attendrissement, effusion collective grâce auxquels s'opèrent les progrès moraux de l'humanité.

L'épithète, dans la formule «drame bourgeois», est peut-être trompeuse. Ce théâtre reflète certes les valeurs et les préoccupations de la classe bourgeoise, comme la réussite individuelle par le travail et la vertu. Mais plus largement, le drame bourgeois, «relatif au citoyen», interroge les relations entre l'individu, membre d'une société, et l'État. Louis-Sébastien Mercier insiste sur cette fonction politique du drame chargé de dévoiler la «scène du monde» présent, en se délivrant pour cela des entraves que sont l'unité de temps et l'unité de lieu. Développant la réflexion morale et la conscience sociale, le théâtre, espace démocratique ouvert à «tous les ordres de citoyen», enseigne la vertu, l'égalité et la liberté.

Le drame romantique héritera pour partie de ces modèles : volonté de montrer tous les états formant le corps social; représentation de l'influence de la société et de la famille sur le comportement individuel; réflexion sur les possibilités d'action individuelle dans l'histoire. Néanmoins, il rompra, dans son contenu historique, avec le drame bourgeois : il établira une relation complexe et féconde entre le présent de la représentation et l'histoire passée représentée.

3. *Le modèle shakespearien*

L'un des modèles pris par Mercier est le théâtre de William Shakespeare, né dans la seconde moitié du XVIe siècle. Ce théâtre élisabéthain se déroulait dans un espace ouvert subdivisé en quatre parties, laissant au spectateur le soin d'imaginer les lieux simplement suggérés. Les œuvres se caractérisent par l'éclatement spatiotemporel, par le mélange des genres et des tons, par la bigarrure de la langue. Le spectacle des grands moments de l'histoire nationale est offert à un public mêlé, réuni dans le cercle dessiné par le théâtre du Globe à Londres.

Le public français commence à découvrir Shakespeare dans la seconde moitié du XVIIIe siècle, notamment avec la traduction de Letourneur. Sous la Restauration, en 1821, cette traduction est révisée pour se rapprocher de l'original par François Guizot et Amédée Pichot. L'année suivante, une troupe de comédiens anglais fera découvrir, malgré l'opposition violente d'une partie du public anglophobe, *Othello, Roméo et Juliette, Hamlet, Richard III, Macbeth*. Ces mêmes pièces ainsi que *Le Marchand de Venise* seront données en 1827 et 1828 par une autre troupe anglaise séjournant à Paris.

Le dramaturge et théoricien allemand, Lessing, a fait une large place au théâtre anglais pour contester les règles classiques enfermant la création théâtrale française. Il s'attaque ainsi aux unités de temps et de lieu, considérées à tort par les Français « comme des conditions indispensables en elles-mêmes de la représentation d'une action » (*La Dramaturgie de Hambourg*, 1769) :

ces règles, censées fonder l'illusion, entraînent en réalité des invraisemblances.

4. Le « groupe de Coppet »

Les impasses de la tragédie française au XVIIIᵉ siècle sont aussi dénoncées par un autre Allemand, August Wilhelm von Schlegel définissant le drame romantique dès 1808. La tragédie régulière, uniformément noble, sérieuse et tragique, opérait un tri artificiel parmi les divers éléments constituant la vie humaine. Le drame, au contraire, présente « le spectacle varié de tout ce qu'elle rassemble » (*Cours de littérature dramatique*, treizième leçon). La catégorie convoquée par Schlegel est celle du mélange : le drame a pour ambition de montrer la vie sous ses différents aspects. Il prône les changements de temps et de lieu, qui doivent révéler leur influence sur l'âme des personnages. Il recommande « le contraste de la plaisanterie et du sérieux », « le mélange du genre dramatique et du genre lyrique », l'action représentée pouvant laisser une place à l'expression poétique du sujet.

Schlegel sera le précepteur des enfants de Mme de Staël et rejoindra le « groupe de Coppet » formé autour de celle-ci et, notamment, de Benjamin Constant. Mme de Staël réclame une plus grande liberté dans l'art théâtral français afin qu'il puisse traduire les transformations historiques de la société et entretenir l'illusion. Or, « la vérité de l'action perd à la nécessité puérile de ne pas changer de lieu et de se borner à vingt-quatre heures ».

Benjamin Constant, dans sa réflexion sur l'adaptation française de *Wallenstein* de Schiller, oppose les systèmes allemand et français : les Français, dans leurs tragédies, « ne peignent qu'un fait ou une passion. Les Allemands, dans les leurs, peignent une vie entière et un caractère entier ». Chez ces derniers, les personnages secondaires sont infiniment plus nombreux, et ne se limitent pas aux pâles confidents de la tragédie. Surtout, là où les auteurs tragiques ne font de la société qu'un cadre où se déploie une passion, il s'agirait de montrer « l'action de la société en lutte avec l'homme ». Cette représentation de la pression exercée par l'ordre social a besoin d'un temps assez long, de lieux variés et d'une couleur locale caractérisant l'état de cette société.

2.
Deux théories du drame romantique
sous la Restauration

1. Racine et Shakespeare : le « romanticisme » selon Stendhal

En réaction aux huées qui accueillirent les acteurs anglais en 1822, Stendhal publie deux articles dans *Racine et Shakespeare*, dont une seconde livraison sortira en 1825 en pleine bataille des classiques et des romantiques. Il n'est pas question selon lui de choisir entre Racine et Shakespeare ; l'urgence est plutôt de créer un théâtre en phase avec les attentes du public actuel. Si Stendhal n'écrit pas de drames, il tente d'en définir la poétique. Le romantisme, ou plutôt le *romanticisme*, d'après le terme italien francisé par Stendhal, est défini ainsi :

> Le *romanticisme* est l'art de présenter aux peuples les œuvres littéraires qui, dans l'état actuel de leurs habi-

> tudes et de leurs croyances, sont susceptibles de leur
> donner le plus de plaisir possible.
> Le *classicisme*, au contraire, leur présente la littérature
> qui donnait le plus grand plaisir possible à leurs
> arrière-grands-pères.

Stendhal peut affirmer que Racine fut romantique sous Louis XIV comme Shakespeare autour de 1600. Aussi prône-t-il, pour satisfaire la curiosité légitime du public de son temps, un drame historique et national exploitant l'œuvre des chroniqueurs. Ce drame doit créer l'illusion, faire croire à « la chose qui n'est pas, comme dans les rêves », grâce à une dramaturgie du quatrième mur. Il renonce aux combats et aux exécutions montrés sur la scène : le spectateur du XIXᵉ siècle « répugne à l'horrible » et ne peut accepter le spectacle de la violence shakespearienne. La durée de la fiction ne doit pas dépasser un an car « le héros de la fin ne serait plus l'homme du commencement ». Enfin, Stendhal fait le choix de la prose contre le vers qui ne saurait rendre compte, par l'usage du mot propre, « des mouvements de l'âme et des incidents de la vie des modernes » : « le cri du cœur n'admet pas d'inversion ».

Le drame romantique selon *Racine et Shakespeare* est ainsi une tragédie historique, nationale, en prose, « qui dure plusieurs mois et se passe en des lieux divers ».

2. *Hugo, la Préface de* Cromwell *: l'alliance du grotesque et du sublime*

En 1827, Victor Hugo publie en tête de sa pièce irre-présentable, *Cromwell*, une Préface, véritable manifeste du romantisme. Contre Stendhal, Hugo défend le vers, « la forme optique de la pensée » : l'alexandrin confère à l'idée force et netteté, « quelque chose de plus incisif et de plus éclatant ». S'affirme là une position aristocratique, attachée à l'idiosyncrasie du style, ce dessin de la pensée, comme à la poésie du drame.

La position de Victor Hugo est pourtant moins exclusive qu'on ne l'affirme souvent. La Préface de *Cromwell* conclut le débat par une déclaration plus conciliante : « Au reste, que le drame soit écrit en prose, qu'il soit écrit en vers, qu'il soit écrit en vers et en prose, ce n'est là qu'une question secondaire. » L'essentiel est la valeur artistique de la pièce et son éloignement de tout prosaïsme. Vers ou prose, l'important est de se tenir à distance du commun, de la tragédie de boutique et des salons du vaudeville. Le drame romantique a en horreur le philistinisme bourgeois qui se complaît dans le flottant et l'informe. Le spectacle romantique doit déployer une splendeur *textuelle* et refuser de servir utilement et didactiquement quelque cause.

La Préface de *Cromwell* appelle à dépasser la séparation entre les genres et à réaliser un drame total. Le modèle est encore Shakespeare : « Shakespeare, c'est le Drame, et le drame, qui fond dans un même souffle le grotesque et le sublime, le terrible et le bouffon, la tragédie et la comédie, le drame est le caractère propre de la troisième époque de poésie, de la littérature actuelle. » L'art théâtral doit donc intégrer, à côté du dépassement sublime de la simple nature, le bas matériel, le corporel, le difforme et le bouffon, tout ce que rejette la société par conformité aux règles du bon goût. Le grotesque populaire doit révéler, par contraste avec le beau, son infinie richesse poétique.

Transgression des règles étroites des unités de temps et de lieu, union du grotesque et du sublime : le drame romantique vise l'expression de la vie dans sa totalité complexe et signifiante. Le rêve est celui d'un art complet, concentrant dans le miroir de la scène l'immensité de l'univers : « c'est tout regardé à la fois sous toutes les faces », écrira Hugo dans la Préface de *Marie Tudor* en 1833.

3.
Le drame romantique en scène
au début de la monarchie de Juillet

1. *Le théâtre parisien et ses carcans*

L'ambition totalisante de *Cromwell* et de sa Préface comme sa revendication de la liberté créatrice se heurtent aux réalités du théâtre parisien. Le système des privilèges, fixant étroitement le répertoire de chaque théâtre autorisé à ouvrir, émane d'une législation soucieuse d'harmoniser la vie des spectacles, placée sous la tutelle du pouvoir. Les traditions de la représentation, les lois de la sociabilité festive forment d'autres contraintes : la durée du spectacle, la composition de l'affiche comprenant plusieurs pièces, grandes et petites, en une soirée, les lourdes décorations interdisant la multiplication des lieux représentés. Les dramaturges romantiques soucieux d'accéder au public doivent alors accepter des compromis, respecter l'unité d'action, limiter le nombre de personnages, réduire le nombre de lieux à un seul par acte.

La censure a été théoriquement abolie après la Révolution de Juillet et ne sera rétablie qu'en 1835. La liberté réclamée par le drame romantique semble enfin régner. Mais le pouvoir garde un œil sur la production théâtrale. *Le Roi s'amuse* de Victor Hugo, où François Ier est censé être enfermé dans un sac et jeté à l'eau par

son bouffon, est interdit au bout d'une unique représentation en 1832. La représentation théâtrale de sujets
politiques et, en particulier, le spectacle du régicide et
des révolutions restent éminemment suspects pour le
pouvoir.

Le drame romantique s'oppose enfin aux genres en
vogue, et d'abord à la comédie-vaudeville qu'Eugène
Scribe fait triompher au théâtre du Gymnase-Drama-
tique. Mêlé de couplets chantés sur des airs connus, le
vaudeville offre avec son intrigue la mécanique bien
huilée d'une parfaite, et parfois réjouissante, structure
dramatique. Mais elle a le tort, pour les romantiques,
de refléter la trivialité du monde social et de négliger le
style. Parmi les cibles visées par le drame romantique
défini par Hugo figure aussi le mélodrame conservateur hérité de Pixerécourt et triomphant sur le boulevard du Temple : il moralise les masses sans enseigner
la distance critique et interprétative face aux signes de
la représentation ; il infantilise au lieu d'éduquer. Pourtant, la dette du drame romantique à l'égard du mélodrame est considérable. La tragédie classique, enfin, se
survit à elle-même, anachronique, attachée à l'idée
d'un beau idéal et anhistorique.

2. *Après la bataille d'*Hernani

Après la censure de son drame *Marion Delorme* (sous
son premier titre *Un duel sans Richelieu*) en 1829, Victor
Hugo a réagi en composant *Hernani*, reçu à la Comédie-Française qui était alors dirigée par le baron Taylor
favorable aux romantiques. La célèbre bataille déclenchée par la création de la pièce le 25 février 1830
oppose d'un côté les partisans de la liberté dans l'art,
un art pour tous, et de l'autre les représentants de la

gérontocratie de la Restauration ou les libéraux attachés au classicisme esthétique. Mais le drame romantique ne s'impose pas avec *Hernani*. La conquête de la
Comédie-Française a alors déjà eu lieu : Alexandre
Dumas a fait triompher *Henri III et sa Cour* dès février
1829 : un drame en prose lié à l'histoire nationale,
conforme aux vœux d'un Stendhal. La prose a permis
de faire passer les libertés de la pièce auprès du public
du Théâtre-Français. Au début de la monarchie de
Juillet, l'Odéon dirigé par un partisan du drame romantique, François Harel, accueille des pièces de Musset (la
malheureuse *Nuit vénitienne*), Dumas *(Christine)*, Vigny
(La Maréchale d'Ancre).

Surtout, le drame romantique s'est trouvé une scène :
le théâtre de la Porte-Saint-Martin repris par Harel en
1831. Le théâtre est situé à mi-chemin entre les théâtres
principaux de la capitale et les scènes secondaires et
plus populaires du boulevard du Temple. Le rêve d'un
théâtre pour tous semble pouvoir s'y concrétiser. Les
acteurs y sont habitués aux fulgurances passionnées et
aux mélanges de tons du mélodrame. Ils se nomment
Frédérick Lemaître, Bocage et Marie Dorval. Ces deux
derniers donnent au drame romantique son plus grand
succès : *Antony* de Dumas, créé le 3 mai 1831, suivi à la
fin de l'année, par *Richard Darlington* avec Frédérick
Lemaître. Victor Hugo passe aussi à la Porte-Saint-
Martin, d'abord avec le drame en vers censuré en 1829,
Marion Delorme, puis avec deux drames en prose : *Lucrèce
Borgia*, où le mélodrame se transmue en tragédie
antique, et en 1833 avec *Marie Tudor*. Aussi l'année
1834 est-elle ponctuée par les attaques de la critique
dirigées contre le drame romantique, et principale-
ment contre le drame hugolien : littérature facile, déré-
glée ou orgiaque.

3. *Drame romantique ou drame moderne ?*

La caractéristique essentielle du drame romantique est le rapport entretenu avec l'histoire. Quel serait le drame idéal ? « Ce serait le passé ressuscité au profit du présent ; ce serait l'histoire que nos pères ont faite confrontée avec l'histoire que nous faisons », répond Hugo dans la Préface de *Marie Tudor*. Il s'agit de donner aux spectateurs la possibilité de réfléchir à leur situation présente, sociale, politique et historique, grâce au détour par le passé représenté. Ce processus permet au public d'adopter une distance critique face au présent et de le regarder de biais, avec ce surcroît de lucidité donné par la perspective historique.

Mais au sein du drame romantique, une autre voie est explorée par Victor Ducange *(Trente ans ou La Vie d'un joueur, Il y a seize ans)* puis par Alexandre Dumas, héritiers du drame bourgeois montrant des tableaux de la vie familiale et sociale. Après avoir fait triompher le drame historique, Dumas connaît le succès dans le drame moderne « en habits noirs » avec *Antony* ou *Richard Darlington*. La fable est cette fois contemporaine. Elle pose la question du mal sécrété par une société qui ignore ou opprime l'individu en refusant de lui reconnaître sa place. Exclu du cadre social, le « bâtard » ne connaît d'autre issue à l'affirmation de son vouloir-être que la violence. Représentation d'une individualité forte aux prises avec la société issue d'un bouleversement historique : cette donnée du drame romantique se retrouve dans le drame moderne.

4.

Musset et la crise du drame

1. *« Je voudrais être Shakespeare ou Schiller »*

Cette formule apparaît dans une lettre de Musset à
Paul Foucher, écrite le 23 septembre 1827. Musset ajoutait à cette déclaration ambitieuse un constat désabusé :
« Je ne fais donc rien. » En attendant, Musset lit le
théâtre étranger : *Hamlet* ou *Jules César* de Shakespeare,
Les Brigands ou *La Conjuration de Fiesque à Gênes* de Schiller, *Goetz de Berlichingen* ou *Egmont* de Goethe, ou *La
Conspiration des Pazzi* d'Alfieri. Autant de pièces qui
influencent l'écriture de *Lorenzaccio*.

Musset admire dans le théâtre de Shakespeare ou de
Schiller l'affranchissement des contraintes de la scène
et des règles classiques de la vraisemblance. Le sous-
titre de *Lorenzaccio* contient d'ailleurs un discret hommage à Friedrich von Schiller : « pièce de théâtre »,
écrit Musset sous le titre inscrit sur son manuscrit ;
Schiller avant lui avait sous-titré *Les Brigands* « ein
Schauspiel », « une pièce de théâtre ». C'est cette liberté
que recherche Musset dans son théâtre de jeunesse. Il
compose des *fantaisies* — des ouvrages où l'artiste suit
les caprices de son imagination hors des règles de l'art.
Le titre de sa comédie *Fantasio*, parue en 1834, sonne
ainsi comme un manifeste esthétique.

2. *Le modèle des « scènes historiques »*

En dehors du théâtre élisabéthain ou du drame allemand du « Sturm und Drang », le modèle dramatique
de Musset pour *Lorenzaccio* — et un modèle pour le

drame romantique en général — est un genre en vogue dans les dernières années de la Restauration : les « scènes historiques ». Ces œuvres font revivre de grands événements de l'histoire, avec une prédilection pour l'histoire de France. Ces textes dialogués, à mi-chemin entre le roman et le drame, peuvent être entrecoupés de récits ou suivis de documents, chroniques ou mémoires historiques constituant les sources de l'œuvre. Il s'agit de reconstituer les mœurs de l'époque à travers une langue colorée ou des détails pittoresques. Mais le détour par le passé ne vise pas seulement une résurrection de l'ancien temps : il offre aussi l'occasion d'une réflexion sur l'histoire présente.

Les auteurs de scènes historiques suivent un projet politique. Ils sont souvent des libéraux, opposés aux ultraroyalistes, comme Ludovic Vitet, auteur d'une trilogie intitulée *La Ligue* : *Les Barricades*, *Les États de Blois*, *La Mort de Henri III*. L'histoire n'est pas seulement pour eux le fait de quelques grands hommes, mais prend source dans l'action du peuple. La satire du pouvoir royal comme l'anticléricalisme se manifestent, notamment dans *La Jacquerie*, « scènes féodales » de Prosper Mérimée publiées anonymement en 1828 : cette composition dramatique en trente-six tableaux évoque une révolte paysanne contre la noblesse au XIVᵉ siècle.

Ces œuvres dialoguées ne sont aucunement destinées à la représentation théâtrale. Ludovic Vitet, l'auteur des *Barricades* en 1826, écrit : « Ce n'est point une pièce de plus qu'on va lire, ce sont des faits historiques présentés sous forme dramatique, mais sans la prétention d'en composer un drame. » L'auteur n'a pas à se soucier des règles de la composition dramatique, des convenances linguistiques dans le dialogue ou des pudeurs morales dans l'intrigue. Il ne redoute pas non plus la censure dramatique. Les contraintes de la « mise en scène » sont abolies. Les unités de temps et de lieu peuvent alors être violées, les espaces privés ou publics se multiplier, le nombre de personnages et de figurants croître de manière à reconstituer l'ensemble des groupes sociaux agissant à une époque donnée. Le prix à payer est le renoncement à l'impact direct exercé sur un vaste public. C'est ce même renoncement que l'on retrouve chez Musset pour *Lorenzaccio*.

3. « *Adieu à la ménagerie* » : *vers une scène imaginaire*

Telle fut, d'après le témoignage de son frère, la déclaration de Musset au journaliste Prosper Chalas au lendemain du fiasco de sa pièce *La Nuit vénitienne* au théâtre de l'Odéon, le 1er décembre 1830. La « ménagerie », les directeurs, les spectateurs et la critique, n'est visiblement pas prête à recevoir le théâtre de Musset, trop hardi, trop fantaisiste, trop subtil dans ses interrogations morales et métaphysiques. À défaut d'écrire pour la scène, Musset destine alors ses pièces à la lecture, s'affranchissant superbement de toutes les pesanteurs de la vie théâtrale : attentes d'un public conservateur ou épris de divertissement, respect des convenances, respect du privilège de chaque théâtre, contraintes esthétiques et techniques de la scène, lecture et réception des pièces, batailles avec les directeurs de théâtre voire avec la censure, répétitions avec les comédiens, cabales, organisation de la « claque », coups de griffe de la critique théâtrale… Musset contourne d'un coup tous ces obstacles : il offre son œuvre théâtrale aux seuls caprices de l'imagination des lecteurs.

À la fin de l'année 1832, Musset avait publié un

volume sous le titre *Un spectacle dans un fauteuil,*
recueillant des pièces en vers, «poème dramatique»,
«comédie» et «conte oriental». Les quatre pièces
parues dans *La Revue des Deux Mondes* sont reprises en
août 1834 dans une publication en deux volumes à la
Librairie de la *Revue,* sous le titre explicite : *Un spectacle
dans un fauteuil (Prose).* Le recueil est précédé d'une
Dédicace, préparant à la découverte des poèmes dialogués préservés des scènes trop réelles. Elle s'achève sur
ces vers :

> Un spectacle ennuyeux est chose assez commune,
> Et tu verras le mien sans quitter ton fauteuil.

4. *Loin de la tribune théâtrale*

Sortant du théâtre dès son premier échec pour n'y
retourner que dix-sept ans plus tard, Musset reste à
l'écart des grands combats du drame romantique. Le
renoncement à la scène rejoint le pessimisme politique
qui sous-tend la pièce *Lorenzaccio.* Victor Hugo croit
dans les vertus politiques du spectacle ; il voit dans la
représentation théâtrale l'occasion de fonder la communauté de citoyens, conviés à réfléchir à l'histoire présente à partir de l'histoire passée. Pour lui, le théâtre
est une «chaire» et obéit à une mission à la fois «nationale», «sociale» et «humaine» car le poète «a charge
d'âmes» (Préface de *Lucrèce Borgia*) ; «le théâtre est un
lieu d'enseignement», écrit-il dans la Préface d'*Angelo,
tyran de Padoue.* C'est en cette action sociale et politique
du théâtre que Musset ne croit pas, ou ne croit plus, du
moins dans les conditions du spectacle sous la monarchie de Juillet : «Je ne me suis pas fait écrivain politique, / N'étant pas amoureux de la place publique»,
écrit-il dans la Dédicace de *La Coupe et les lèvres* en 1832.

À rebours des écrivains romantiques engagés dans leur siècle, Musset choisit une posture de retrait et adopte un regard sceptique sur la mission du Poète : «La politique suit l'action; la littérature, la pensée […]. Si la pensée veut être quelque chose par elle-même, il faut qu'elle se sépare en tout de l'action; si la littérature veut exister, il faut qu'elle rompe en visière à la politique» («De la politique en littérature et de la littérature en politique», 1831). Le sujet même de *Lorenzaccio* semble être pour Musset l'expression de ce choix : se désolidariser d'avec un siècle veule, se tenir à distance des idéaux comme des utopies. Mais s'exprime aussi dans la pièce la nostalgie d'une union perdue entre la pensée et l'action, entre la lyre et l'épée.

5. *Une mise en cause de l'action dramatique*

Malgré cet écart cultivé par le dandy Musset contre l'engagement de ses contemporains Hugo ou Lamartine dans leur siècle, il n'est pas exagéré de considérer *Lorenzaccio* comme l'accomplissement du drame romantique, justement parce que Musset n'a pas dû pactiser avec la réalité théâtrale. Il a même écrit son œuvre contre la tyrannie de la scène, assumant totalement son geste de rébellion contre les codes sclérosants : sa dramaturgie est révolutionnaire. Une telle pièce ne pourra accéder à la représentation qu'au xxe siècle, grâce à l'invention d'un espace scénique banalisé rompant avec la localisation figurative : plateau dépouillé et jeux d'éclairage sculptant l'espace, remplaçant les lourds décors du xixe siècle qui limitaient le nombre de lieux évoqués dans une même pièce.

Par sa liberté assumée, *Lorenzaccio* offre un déploiement prodigieux de toutes les virtualités du drame romantique que les œuvres se compromettant avec la scène tiennent en réserve : fascinants jeux de contre-point entre personnages et lieux multiples défilant de scène en scène et défiant les lois de concentration du théâtre ; ambition totalisante du drame explorant toutes les facettes d'une cité et montrant toutes les classes sociales ; relation complexe à l'histoire présente par le biais d'une représentation d'un moment critique du passé ; présence centrale d'un « moi » en lutte contre un monde hostile, déchirement de ce « moi » en proie aux tourments moraux et existentiels. Mais cette mise en cause de l'unité de l'être, de l'efficacité de sa parole et de sa possibilité d'agir dans le monde est menée si loin par Musset qu'elle en vient à saper les fondements mêmes du drame.

L'éclatement spatiotemporel de *Lorenzaccio*, selon le modèle shakespearien, comme la représentation d'une action révolutionnaire et d'un régicide suffisent à expli-quer le caractère injouable de la pièce au XIXᵉ siècle. Toutefois, Musset va plus loin encore dans le registre critique : si le drame est étymologiquement « action » comme nous l'avons rappelé plus haut, *Lorenzaccio* met précisément en cause l'action dramatique et la repré-sentation d'un héros agissant, désormais « plus creux et plus vide qu'une statue de fer-blanc » (acte V, scène 6). L'inflation de la parole dans la pièce dit l'impuissance des personnages : le drame ne montre plus l'acte mais la difficulté à passer des paroles à l'acte, ou la lente pré-paration d'une action révolutionnaire que l'on sait depuis le début inefficace. L'assassinat du Duc ne chan-gera rien.

6. *L'expérience des limites*

Ce drame critique qu'est *Lorenzaccio* est ainsi le symptôme d'une profonde crise de civilisation, manifeste après 1830, mais que le public du XIXe siècle n'aurait pas accepté de reconnaître : l'individu peine à s'accomplir dans une collectivité sociale éclatée où il ne trouve pas sa place, les valeurs politiques sont dévalorisées, l'art est désacralisé, la volonté même de l'individu déchiré est paralysée. Reste la parole comme masque de cette impuissance à agir et à s'accomplir, et comme symptôme de cette stérilité.

Les mots prononcés ne sont plus au service d'une action différée ou improductive, mais d'une plongée dans les profondeurs de la société et de l'être. Le drame montre cette expérience intime du « moi » cédant au démon de la connaissance, violente expérience des limites. La parole dramatique oriente cette exploration douloureuse des abysses de l'humanité sous la surface lisse des apparences : « La vérité, squelette des apparences, veut que tout homme, quel qu'il soit, vienne à son jour et à son heure toucher ses ossements éternels au fond de quelque plaie passagère. Cela s'appelle connaître le monde, et l'expérience est à ce prix » (*La Confession d'un enfant du siècle* V, IV).

Jalons pour une histoire du drame romantique

1757 Denis Diderot, *Entretiens sur « Le Fils naturel »*
1767 Pierre Augustin Caron de Beaumarchais, *Essai sur le genre dramatique sérieux*
1767-1768 Gotthold Ephraim Lessing, *La Dramaturgie de Hambourg*
1773 Louis-Sébastien Mercier, *Traité du Théâtre ou Nouvel Essai sur l'Art dramatique*

Goethe, *Goetz de Berlichingen*

1777 Traduction de Shakespeare par Le Tourneur

1781 Friedrich von Schiller, *Les Brigands*; *La Conjuration de Fiesque*

1808 August Wilhelm von Schlegel, *Cours de littérature dramatique*

1809 Benjamin Constant, adaptation et Préface de *Wallenstein* de Schiller

1810 René Charles Guilbert de Pixerécourt, *Les Ruines de Babylone*, mélodrame à la Gaîté

1814 Mme de Staël, *De l'Allemagne* (parution en France)

1821 François Guizot, « Vie de Shakespeare »

1822 Une troupe anglaise joue Shakespeare à Paris. Scandale et émeutes

1823 (et 1825) Stendhal, *Racine et Shakespeare*
Triomphe de Frédérick Lemaître dans *L'Auberge des Adrets*, mélodrame de Benjamin Antier à l'Ambigu-Comique

1826 Ludovic Vitet, *Les Barricades*, « *scènes historiques en prose* »

1827 Victor Hugo, *Cromwell* et sa Préface
Retour des comédiens anglais à Paris pour jouer Shakespeare. Triomphe

1828 Victor Hugo, *Amy Robsart*, échec à l'Odéon (sous le nom de Paul Foucher)
Prosper Mérimée, *La Jacquerie*, « *scènes féodales en prose* »

1829 Alexandre Dumas, *Henri III et sa cour* à la Comédie-Française
Victor Hugo, *Marion Delorme*, interdit par la censure
Alfred de Vigny, *Lettre à Lord****; *Le More de Venise*, (adaptation d'*Othello* de Shakespeare) à la Comédie-Française
Benjamin Constant, *Réflexions sur la tragédie*

1830 Victor Hugo, *Hernani* à la Comédie-Française
Alfred de Musset, *La Nuit vénitienne*, échec à l'Odéon

1831 Alexandre Dumas, *Antony* et *Richard Darlington* à la Porte-Saint-Martin

Victor Hugo : *Marion Delorme* à la Porte-Saint-Martin

1832 Alexandre Dumas, *La Tour de Nesle* à la Porte-Saint-Martin

Victor Hugo : *Le Roi s'amuse* à la Comédie-Française. Interdiction et procès

1833 Victor Hugo : *Lucrèce Borgia* et *Marie Tudor* à la Porte-Saint-Martin

1834 Alfred de Musset : *Un spectacle dans un fauteuil (prose), Lorenzaccio*

1835 Victor Hugo, *Angelo, tyran de Padoue* à la Comédie-Française

Alfred de Vigny, *Chatterton* à la Comédie-Française

1836 Alexandre Dumas, *Kean* aux Variétés

1838 Victor Hugo, *Ruy Blas* inaugure le théâtre de la Renaissance

1839 Gérard de Nerval, *Léo Burckart* à la Porte-Saint-Martin

1843 Victor Hugo, *Les Burgraves* à la Comédie-Française. Échec retentissant

---

Sur le drame romantique

Monique BORIE, Martine de ROUGEMONT, Jacques SCHERER, *Esthétique théâtrale, textes de Platon à Brecht*, Paris, Sedes, 1982 (pour lire les textes théoriques essentiels)

Maurice DESCOTES, *Le Drame romantique et ses grands créateurs (1827-1839)*, Paris, P.U.F., 1955

Franck LAURENT et Michel VIENES, *Le Drame romantique*, Paris, Hatier, collection « Profil », 1996

Marie-Pierre LE HIR, *Le Romantisme aux enchères. Ducange, Pixerécourt, Hugo*, Amsterdam, Philadelphie, John Benjamins Publishing Company, 1992

Florence NAUGRETTE, *Le Théâtre romantique. Histoire, écriture, mise en scène*, Paris, Seuil, collection « Points Essais », 2001

Anne UBERSFELD, *Le Drame romantique*, Paris, Belin, collection « Lettres Sup », 1993

Georges ZARAGOZA (sous la direction de), *Dramaturgies romantiques*, Dijon, EUD, 1999

L'écrivain
à sa table de travail

Cheminement d'une œuvre :
des sources au manuscrit
de *Lorenzaccio*

L'ÉCRITURE DE *LORENZACCIO* se nourrit de deux
sources directes, une chronique florentine de la Renaissance et une scène historique composée par George
Sand. Le travail du dramaturge apparaît au fil des trois
plans successifs menant au manuscrit autographe
conservé à la Bibliothèque de la Comédie-Française. La
notice et les appendices de Simon Jeune, dans son édition du *Théâtre complet* de Musset pour la collection « La
Pléiade » (p. 959-990), fournissent ces éléments permettant de retracer le cheminement d'une œuvre.

1.

Une source publiée : la *Storia fiorentina* de Benedetto Varchi

Dans la première édition de *Lorenzaccio*, intégré à *Un
spectacle dans un fauteuil (Prose)* en 1834, Musset place
en appendice sa source italienne : Benedetto Varchi,
Fragment du Livre XV des « Chroniques florentines ». Il
suit ainsi la tradition des « scènes historiques », où les
pièces justificatives accompagnent souvent la publication.

Le chroniqueur florentin, à qui Côme de Médicis avait commandé une *Histoire de Florence*, fait le récit de l'assassinat en 1537 du duc Alexandre de Médicis. Lorenzo, son favori et son cousin de la branche cadette, est le meurtrier. Varchi offre à Musset les éléments de civilisation concourant à la création d'une vraisemblance d'époque. Ces éléments sont complétés, dans un sens plus vivant et coloré, par la lecture parallèle de la *Vie de Benvenuto Cellini, orfèvre et sculpteur florentin, écrite par lui-même*.

Musset utilise un matériau qu'il soumet aussitôt à son imaginaire comme à son invention créatrice. La débauche devient ainsi un thème et une force dramatiques. Élargie aux dimensions de la ville entière par l'image d'une Florence prostituée, elle s'empare des esprits et détermine les personnages. Chez Varchi, le duc Alexandre était un despote ; Musset en fait un débauché cynique et désinvolte dans une cité pervertie imposant partout sa puissance délétère. Lorenzaccio, chez le chroniqueur, est l'organisateur des plaisirs du duc et son entremetteur. Le portrait tracé est celui d'un compagnon de débauche. L'apport principal de Musset est l'invention, pour son personnage, d'une jeunesse sans tache. Varchi évoque une jeunesse studieuse sombrant rapidement dans la corruption morale : « Mais, à peine eut-il échappé (au terme de ses premières humanités que sa vive intelligence facilita singulièrement) à la surveillance de sa mère et de son maître qu'il commença à montrer un esprit inquiet, insatisfait, et porté au mal. [...] Il se passait toutes ses envies, et tout spécialement en amour, sans aucune considération de sexe, d'âge ou de condition. » Le personnage de Musset évoque avec nostalgie un tout autre passé : « Ma jeunesse a été pure comme l'or », « J'étais heureux alors, j'avais le cœur et les mains tranquilles», «Les hommes ne m'avaient fait ni bien ni mal, mais j'étais bon, et, pour mon malheur éternel, j'ai voulu être grand» (acte III, scène 3). Le sujet, en opposition avec lui-même et avec le monde, se transforme ainsi en héros romantique.

Le conflit entre Lorenzo et Lorenzaccio (ce surnom apparaît chez Varchi) est la marque de Musset et constitue une projection imaginaire et personnelle de la part du jeune dandy. La thématique du dédoublement apparaît : le masque pris par Lorenzo finit par lui coller à la peau et constituer une seconde nature. Nostalgie d'une pureté perdue et fascination parallèle pour le mal, contrariété entre sentiment amoureux et plaisir de la transgression sexuelle, vertige d'une exploration de l'humanité par les profondeurs de la corruption : les préoccupations propres à Musset donnent relief et complexité à la silhouette héritée de Varchi.

Enfin, le chroniqueur faisait du vieux Philippe Strozzi un homme sans scrupule. Musset au contraire idéalise ce républicain, s'inspirant pour cela du personnage du grave, austère et sombre Verrina dans *La Conjuration de Fiesque à Gênes* de Schiller. Cette idéalisation du vieillard noble, mais hésitant à agir, était déjà suggérée par George Sand évoquant «le grand Strozzi» dans sa propre version de l'histoire de Lorenzo de Médicis.

2.
Le cadeau d'une amante :
Une conspiration en 1537 de George Sand

L a chronique de Benedetto Varchi est la source historiquement la plus ancienne à laquelle puise Musset. Mais dans le travail d'élaboration de *Lorenzaccio*, la source première est la scène historique offerte à Musset par son amante George Sand et intitulée *Une conspiration en 1537*.

1. « *Sang, jurons et malédictions* »

Grâce à sa maîtrise de l'italien, Aurore Dupin, qui n'avait pas encore adopté son pseudonyme, a découvert la chronique de Varchi et son récit de l'assassinat du duc de Florence. Elle en ébauche l'adaptation dramatique en juin 1831 à Nohant. Comme en témoigne sa correspondance à cette époque, la jeune femme retient d'abord de sa lecture la violence de la scène de meurtre (Lettre à Émile Regnault) : « Je travaille à une sorte de *brinborion* littéraire et dramatique, noir comme cinquante diables, avec conspiration, bourreau, assassin, coups de poignard, agonie, râle, sang, jurons et malédictions. Il y a de tout ça, ce sera amusant comme tout. J'en fais la nuit des rêves épouvantables. »

Dans une autre lettre au même correspondant, datée du 21 juin, elle évoque le matériau d'« un bel et bon drame, qui fasse avorter de peur toutes les femmes enceintes du boulevard ». Les détails sanglants de Varchi passent de la chronique au drame frénétique dans la sixième et dernière scène :

> *Le duc roule par terre en rugissant. Scoronconcolo lui enlève une joue d'un coup de dague. Le duc ensanglanté se relève et court dans la chambre avec égarement.*
>
> LORENZO : Maladroit, tu frappes au visage. C'est au cœur, au cœur ! *(Au duc.)* Holà ! Seigneur, point tant de bruit. Acceptez ce bâillon.
>
> *Il lui met les doigts dans la bouche.*

> SCORONCONCOLO : Le damné bondit comme une panthère. Où es-tu donc, maître ? Je n'y vois plus !
> LORENZO : Je le tiens, là, sous moi ! *(Il jette le duc sur le lit.)* Maudit ! Tu mords comme un chien enragé. Mais c'est égal. Tu mourras de la main de Lorenzaccio.
> SCORONCONCOLO : Ôte-toi de là, maître, que je le frappe.
> LORENZO : Je ne puis. Ce chien furieux tient mon pouce entre ses dents. Il me le broie. Ah ! Le cœur me manque. Je souffre. Dépêche-toi de le tuer ! *(Scoronconcolo enfonce sa dague.)* Tu éventres le matelas ! Il me coupera le doigt.
> SCORONCONCOLO *tire un couteau de sa poche* : Eh bien ! saignons-le comme un pourceau. Lâche-t-il prise ?
> LORENZO : Enfonce le couteau plus avant dans la gorge. Bien ! Ses dents s'écartent un peu. Ah ! sa tête retombe, ses muscles se détendent. Il meurt. Regarde ! il est hideux à voir.

Musset, à la scène 11 de l'acte IV, traite le même épisode dramatique en trois courtes répliques et trois simples didascalies. Il évacue totalement le grand spectacle du fait divers pour se concentrer d'abord sur sa signification symbolique et sa conséquence morale puis politique. La morsure au doigt devient, pour le Lorenzo de Musset, « bague sanglante » unissant à jamais le duc et son cousin dans ces noces de sang. Au contraire, chez Sand, le meurtre libère Lorenzo de son double obscur, lié aux turpitudes du duc : « Souillures, infamie, disparaissez ! Ce sang vous a lavées. Lorenzaccio n'est plus. Lève-toi, Laurent de Médicis ! » Une telle purification mélodramatique par le sang ne s'opère pas chez Musset : le dédoublement y est définitif, la déchirure morale est sans résolution. Le seul changement sera un approfondissement du savoir : le Lorenzo du cinquième acte « aime encore le vin et les femmes » mais il porte le poids de son expérience de la lâche vanité des hommes.

2. *La matrice du drame*

Les six scènes tracées par Sand s'achèvent avec le meurtre, l'adieu de Lorenzo à Catterina et son départ pour Venise, où il souhaite apporter comme preuve à Strozzi la clef de la chambre. Musset se fonde sur ces dernières lignes pour écrire son acte V. Il y déploie ce que Sand laisse en pointillés : les conséquences du meurtre, ou plutôt son absence de conséquences politiques. L'interrogation porte désormais sur les sujets de l'histoire, les individus responsables de l'action ou de l'inaction. L'incapacité du peuple de Florence à tirer parti de la mort du duc pour se libérer était suggérée par le texte sandien : « La patrie, hélas ! c'est une des chimères que le sceptique Lorenzo ne caresse plus. Vois-tu, ma sœur, j'ai soumis les hommes à une trop rude épreuve pour les estimer jamais, et ils ont trop grossièrement mordu à l'hameçon, ils ont trop abusé de ma patience, pour que je puisse croire à la véracité de leur retour. » Ce pessimisme de Lorenzo refusant de croire en l'action des hommes devient le cœur même du drame de Musset et lui confère sa charge critique.

Plus généralement, Musset procède au déploiement le plus large de toutes les potentialités dramatiques contenues dans les six scènes tracées par Sand. La situation politique de Florence est complétée par la mise en relief des oppositions sociales et économiques grâce à l'adjonction de multiples personnages — seigneurs républicains, bourgeois, artiste, figures du peuple. L'unité de temps, assurée chez Sand par l'égrainement des heures scandant la journée du 6 janvier 1537, est rompue par Musset : décalages, jeux de simultanéité, effets de répétition, le temps « sort de ses gonds », comme dit Hamlet chez Shakespeare. L'alternance entre espaces

privés et espaces publics, intérieurs et extérieurs, esquis-
sée par Sand, suggère à Musset une totale dilatation de
l'espace théâtral : exploration de tous les lieux urbains,
et même d'espaces extérieurs à la cité, multiplication
des plans et des angles de vue. Enfin, l'unité d'action,
centrée sur le meurtre du duc dans la scène historique
sandienne, est diffractée en trois intrigues croisées chez
Musset, autour de Lorenzo, de la famille Cibo et de la
famille Strozzi. *Une conspiration en 1537* constitue ainsi
la matrice d'un drame révolutionnaire dans sa structure et son esthétique propres. La langue de Musset, ses
réseaux d'images, ses élans rhétoriques, ses couleurs et
sa liberté, achèveront de transfigurer les matériaux ori-
ginels.

3.
Des plans au manuscrit

L e travail préparatoire de Musset est plus précisément éclairé par les trois plans manuscrits de *Lorenzaccio* qui sont conservés à la Bibliothèque de l'Institut.

1. *Vers la question politique*

Le premier plan fait déjà apparaître la structure définitive en cinq actes. L'essai dramatique de George Sand
fournit la matière de nombreuses scènes : l'épée provo-
quant l'évanouissement (feint) de Lorenzo (I, 1), le combat assourdissant avec Scoronconcolo (II, 5), le dialogue
entre Maria, Catherine et Lorenzo (III, 1). Le meurtre
du duc (occupant les trois dernières scènes de Sand)
constitue l'essentiel du quatrième acte. Mais d'emblée,

Musset a souhaité prolonger la scène de l'assassinat par un dernier acte creusant la question politique. Cet acte mène de la réaction populaire après la mort du duc au couronnement de Côme, annulant la valeur libératrice du geste de Lorenzo réfugié à Venise. L'orientation sombrement pessimiste du drame a donc été décidée très vite. De plus, s'écartant de l'intrigue unifiée de Sand, Musset introduit au deuxième acte une seconde action, celle de la comtesse Cibo (marquise sur le texte définitif) : sa liaison avec le duc est orchestrée en coulisse par le cardinal. Musset épaissit de la sorte l'atmosphère de corruption pesant sur Florence. L'oppression politique est également accentuée, tandis que Philippe Strozzi devient un personnage à part entière, à qui Lorenzo confie ses motivations. Enfin, la question de l'art, de sa place dans la cité, est posée grâce au contraste entre deux personnages d'artistes : Benvenuto Cellini le jouisseur et Freccia l'idéaliste.

Cellini reste présent sur les trois plans. Il figure notamment dans une scène, supprimée du manuscrit, où il réveille « le duc et Lorenzo sommeillant » ensemble. Dans une autre scène, également retranchée du manuscrit final, Lorenzo mime devant le « beau garçon » Freccia des gestes de séduction : ces deux coupures importantes effectuées par Musset concernent une homosexualité sans doute jugée provocante en 1833, pourtant explicite dans les œuvres de Varchi et Cellini.

2. *Tressage des intrigues*

Le deuxième plan, toujours en cinq actes, fait permuter un certain nombre de scènes, surtout dans les actes I à III. Musset est visiblement à la recherche d'un meilleur équilibre dramatique. L'apport nouveau réside dans l'intrigue Cibo, plus étoffée : la comtesse se confesse au cardinal (II, 4) puis avoue son infidélité à son mari (V, 2). L'amplification des données initiales se poursuit.

Le dernier plan conservé ne présente que trois actes, les trois premiers du deuxième projet, encore remanié. Cette fois, la nouveauté concerne la famille Strozzi : Julien Salviati poursuit Louise Strozzi de ses assiduités (I, 1), insulte Léon Strozzi (I, 4) avant d'être attaqué par Pierre qui sera arrêté (II, 1). Louise meurt empoisonnée et Philippe Strozzi décide de s'exiler (II, 5). Musset a introduit la troisième intrigue de la pièce, entrelacée avec les deux précédentes — intrigue Lorenzo et intrigue Cibo. La résistance face à l'oppression est posée, dans sa nécessité, sa grandeur et ses limites, achevant de conférer au drame sa dimension proprement politique.

Le manuscrit définitif de *Lorenzaccio* présente trente-neuf scènes, commençant chacune sur un nouveau feuillet : Musset pouvait continuer à parfaire l'équilibre interne du drame par un jeu de simples permutations. De nombreuses corrections autographes attestent du travail mené jusqu'au bout par l'auteur. L'ensemble est plus complet que les plans précédents. Apparaît ainsi la scène initiale, l'enlèvement nocturne plantant le décor angoissant de la ville dangereuse. Musset creuse également les déchirements moraux de Lorenzo au long des trois monologues qu'il insère à l'acte IV. Il continue à accentuer le pessimisme politique en ajoutant ces scènes des actes IV et V où Lorenzo ne parvient pas à rendre crédible l'annonce du meurtre du duc. Les vaines tentatives de Pierre Strozzi pour réunir des combattants républicains sont également développées au fil de la pièce. Enfin, ont disparu deux personnages présents dans les plans précédents : l'épouse du duc et Benvenuto Cellini, que Musset n'était pas parvenu à bien intégrer à l'action. Tebaldeo Freccia figurera à lui seul les ambiguïtés de l'artiste.

Ce manuscrit autographe a servi à la première édition de la pièce, en 1834, dans le recueil *Un spectacle dans un fauteuil (Prose)*. En 1853, l'édition des *Comédies et proverbes* présente le dernier texte revu par l'auteur de son vivant. À côté de quelques répliques ajoutées, Musset supprime la brève scène 6 de l'acte V où des étudiants prêts à mourir pour leurs droits se heurtent à la répression militaire. La scène risquait-elle d'apparaître politiquement dangereuse sous le Second Empire ?

Groupement de textes
L'immolation de l'artiste

L'UNE DES SCÈNES les plus grinçantes de *Lorenzaccio* est celle où l'on découvre le jeune peintre Tebaldeo occupé à faire le portrait du duc, « à demi nu » (acte II, scène 6). Quelques scènes auparavant (acte II, scène 2), le même Tebaldeo livrait à Valori et Lorenzo ses déclarations idéalistes, brossant dans ses répliques un portrait de l'artiste en homme libre. Il y a loin de la déclaration — une belle proposition d'indépendance — à l'acte : le peintre a tout bonnement négocié ses services et vendu son talent à un mécène. Se lit en biais, dans ce tableau de l'Italie de la Renaissance, une réflexion sur la situation de l'artiste au XIXe siècle.

La monarchie de Juillet instaure, à la place de l'ancien mécénat aristocratique, un système médiatique et un marché de l'art dont la nouveauté suscite inquiétudes, frustrations et postures de refus. « L'artiste est un marchand et l'art est un métier », écrit Musset dans *Les Vœux stériles* en 1830. Sainte-Beuve s'attaquera de son côté à la « littérature industrielle » dans un article de *La Revue des Deux Mondes* paru le 1er septembre 1839 : il fustige notamment les romans-feuilletons nés en 1836 avec la parution en épisodes de *La Vieille Fille* de Balzac dans *La Presse*.

Dans les années 1830, l'artiste a conscience d'entrer

dans un monde nouveau et instable, régulé par des lois économiques et éclairé par les mirages de la réussite rapide. Le 17 février 1832, deux jeunes auteurs, Victor Escousse et Auguste Lebras, se suicident après l'échec de leur pièce de théâtre : « Mais on fait comme Escousse, on allume un réchaud », écrit Musset dans *Rolla*. Dans *Illusions perdues* de Balzac, roman d'origine autobiographique paru de 1837 à 1843, les idéaux de Lucien s'évanouissent au contact des coulisses de la vie littéraire parisienne.

À la fin du XIXᵉ siècle, sous la Troisième République, le champ de la littérature aura conquis une relative autonomie par rapport aux pouvoirs économiques et politiques : de nouvelles institutions se sont mises en place pour encadrer, réguler ou protéger la création, académies, salons, revues, grandes maisons d'édition. Néanmoins, l'opposition entre art pur et art commercial perdure. La question de l'utilité sociale de l'artiste reste posée.

Les cinq textes qui suivent proposent le parcours d'un siècle, de 1835 à 1936, et la découverte de quelques avatars de ces figures d'artistes immolés par la Cité. Théâtre, roman, poème en prose, récit fantaisiste ou texte engagé, tous portent une réflexion critique sur la place de la création artistique dans la société moderne prise entre deux menaces : « marchandisation » de l'art induite par l'économie libérale ou soumission de la création à la tutelle de l'État. Les relations ambiguës entre les artistes, le public et les pouvoirs, économique ou politique, y apparaissent dans leur complexité et leur violence fondamentales.

Alfred de VIGNY (1797-1863)

Chatterton (1835)

(drame en trois actes représenté
pour la première fois sur le Théâtre-Français
le 12 février 1835)
(Folio théâtre n° 72)

*Dans sa Préface intitulée «Dernière nuit de travail», Vigny
évoque «le martyre perpétuel et la perpétuelle immolation du
poète». Il place au-dessus de l'homme de lettres et du grand
écrivain, trop habiles à trouver place et reconnaissance dans
la société, le poète : possédé par l'imagination, doué d'une
trop vive sensibilité, il souffre de sa lucidité face aux tares de la
société. Surtout, sa création ne saurait s'accompagner d'un
travail positif, utile et journalier, qui le détournerait de sa mission poétique. «J'ai voulu montrer l'homme spiritualiste étouffé
par une société matérialiste, où le calculateur avare exploite
sans pitié l'intelligence et le travail», résume Vigny.*

*À Londres, en 1780, Thomas Chatterton est un jeune poète
plongé dans la misère. Il loge dans la famille de l'industriel
John Bell. L'épouse de ce dernier, Kitty, admire et aime secrète-
ment le poète. Le Quaker, ami de la maison, comprend les sentiments mutuels de Chatterton et de Kitty Bell. Pressé par son
dénuement financier, Chatterton sollicite l'aide du lord-maire
de Londres, M. Beckford.*

*Dans cet extrait, M. Beckford condamne la poésie au nom
de l'utilitarisme. Le jeune poète se voit reprocher son indi-
gnité : son père, lui, a su s'élever par sa bravoure militaire.
L'exercice poétique ne peut être qu'à l'origine d'une déchéance.
Il doit se limiter à une activité juvénile parce que gratuite.
Face à cette condamnation, Chatterton tente, tant bien que
mal, de défendre l'utilité sociale de sa création. Mais le débat
est radicalisé par l'écart (d'âge et de position) entre ses pro-
tagonistes.*

M. BECKFORD : Ah ! c'est vous, mon cher ! Venez donc ici
un peu, que je vous voie en face. J'ai connu votre père,

un digne homme s'il en fut ; un pauvre soldat, mais qui avait bravement fait son chemin. Ah ! c'est vous qui êtes Thomas Chatterton ? Vous vous êtes amusé à faire des vers, mon petit ami, c'est bon pour une fois, mais il ne faut pas continuer. Il n'y a personne qui n'ait eu cette fantaisie. Hé ! hé ! j'ai fait comme vous dans mon printemps, et jamais Littleton, Swift et Wilkes n'ont écrit pour les belles dames des vers plus galants et plus badins que les miens.

CHATTERTON : Je n'en doute pas, milord.

M. BECKFORD : Mais je ne donnais aux Muses que le temps perdu. Je savais bien ce qu'en dit Ben Johnson : que la plus belle muse du monde ne peut suffire à nourrir son homme, et qu'il faut avoir ces demoiselles-là pour maîtresses, mais jamais pour femmes.

Lauderdale, Kingston et les lords rient.

LAUDERDALE : Bravo, milord ! c'est bien vrai !

LE QUAKER, *à part* : Il veut le tuer à petit feu.

CHATTERTON : Rien de plus vrai, je le vois aujourd'hui, milord.

M. BECKFORD : Votre histoire est celle de mille jeunes gens ; vous n'avez rien pu faire que vos maudits vers, et à quoi sont-ils bons je vous prie ? Je vous parle en père, moi, à quoi sont-ils bons ? — Un bon Anglais doit être utile au pays. — Voyons un peu, quelle idée vous faites-vous de nos devoirs à tous, tant que nous sommes ?

CHATTERTON, *à part* : Pour elle ! pour elle ! je boirai le calice jusqu'à la lie. — Je crois les comprendre, milord ; — l'Angleterre est un vaisseau. Notre île en a la forme : la proue tournée au nord, elle est comme à l'ancre au milieu des mers, surveillant le continent. Sans cesse elle tire de ses flancs d'autres vaisseaux faits à son image, et qui vont la représenter sur toutes les côtes du monde. Mais c'est à bord du grand navire qu'est notre ouvrage à tous. Le roi, les lords, les communes sont au pavillon, au gouvernail et à la boussole ; nous autres, nous devons tous avoir les mains aux cordages, monter aux mâts, tendre les voiles et charger les canons : nous sommes tous de l'équipage, et nul n'est inutile dans la manœuvre de notre glorieux navire.

M. BECKFORD : Pas mal ! pas mal ! quoiqu'il fasse encore de la Poésie ; mais en admettant votre idée, vous voyez que j'ai encore raison. Que diable peut faire le Poète dans la manœuvre ?

Un moment d'attente.

CHATTERTON : Il lit dans les astres la route que nous montre le doigt du Seigneur.

LORD TALBOT : Qu'en dites-vous, milord ? lui donnez-vous tort ? Le pilote n'est pas inutile.

M. BECKFORD : Imagination ! mon cher ! ou folie, c'est la même chose ; vous n'êtes bon à rien, et vous vous êtes rendu tel par ces billevesées. [...]

(acte III, scène 6)

Finalement, M. Beckford offre à Chatterton une place de valet de chambre. Le poète désespéré se suicide ; Kitty meurt de saisissement et d'amour dans les bras du Quaker.

Le jeune poète anglais Thomas Chatterton, qui inspira Vigny, s'empoisonna en 1770 dans sa dix-huitième année.

George SAND (1804-1876)

Consuelo (1842-1843)

(Folio classique n° 4107)

Dédié à l'amie de George Sand, la célèbre cantatrice Pauline Viardot, ce roman d'artiste donne à lire le parcours artistique et moral exemplaire de Consuelo, chanteuse conquérant dans les épreuves d'une vie d'errance la dignité et la liberté.

Dans cet extrait, Consuelo vient de découvrir la trahison de son amant, le ténor Anzoleto, qu'a séduit sa rivale, la Corilla. Entraînée par son maître Porpora, la chanteuse doit pourtant paraître devant le public du théâtre San-Samuel de Venise et aller au bout de son sacerdoce. La relation entre l'artiste et les spectateurs apparaît dans sa violence radicale : elle enchaîne la chanteuse au bon vouloir des consommateurs exigeants du plaisir musical. L'admiration du public n'est jamais exempte de sentiments plus troubles : au don généreux de l'artiste répond l'appétit de possession insatiable des spectateurs, transmuant la célébration enthousiaste en humiliation sadique. La représentation lyrique est un malentendu, fondé sur l'opacité entre les êtres séparés par les feux de la rampe. Il n'y a pas loin de la représentation d'opéra aux jeux du cirque.

Il la traîna au théâtre, et là, pour la première fois, elle sentit l'horreur de cette vie d'artiste, enchaînée aux exigences du public, condamnée à étouffer ses sentiments et à refouler ses émotions pour obéir aux sentiments et flatter les émotions d'autrui. Cette répétition, ensuite la toilette, et la représentation du soir furent un supplice atroce. Anzoleto ne parut pas. Le surlendemain il fallait débuter dans un opéra bouffe de Galuppi : *Arcifanfano re de' matti*. On avait choisi cette farce pour plaire à Stefanini, qui y était un comique excellent. Il fallut que Consuelo s'évertuât à faire rire ceux qu'elle avait fait pleurer. Elle fut brillante, charmante, plaisante au dernier point avec la mort dans l'âme. Deux ou trois fois des sanglots remplirent sa poitrine et s'exhalèrent en une gaîté forcée, affreuse à voir pour qui l'eût comprise ! En rentrant dans sa loge elle tomba en convulsions. Le public voulait la revoir pour l'applaudir ; elle tarda, on fit un horrible vacarme ; on voulait casser les banquettes, escalader la rampe. Stefanini vint la chercher à demi vêtue, les cheveux en désordre, pâle comme un spectre ; elle se laissa traîner sur la scène, et, accablée d'une pluie de fleurs, elle fut forcée de se baisser pour ramasser une couronne de laurier.

« Ah ! les bêtes féroces ! murmura-t-elle en rentrant dans la coulisse.

— Ma belle, lui dit le vieux chanteur qui lui donnait la main, tu es bien souffrante ; mais ces petites choses-là, ajouta-t-il en lui remettant une gerbe des fleurs qu'il avait ramassées pour elle, sont un spécifique merveilleux pour tous nos maux. Tu t'y habitueras, et un jour viendra où tu ne sentiras ton mal et ta fatigue que les jours où l'on oubliera de te couronner.

— Oh ! qu'ils sont vains et petits ! » pensa la pauvre Consuelo.

(chapitre XX)

Charles BAUDELAIRE (1821-1867)

« Une mort héroïque »

Le Spleen de Paris (1863)

(La bibliothèque Gallimard n° 64)

Ce poème en prose est une parabole ironique de l'esclavage dans lequel le tyran tient l'artiste. En l'occurrence, Fancioulle a eu l'audace de vouloir intervenir dans la chose politique : il a participé aux préparatifs d'un complot.

La revanche prise par le Prince consiste à endosser lui-même le rôle d'artiste en « feignant la clémence » et à contraindre son bouffon à une ultime représentation où il atteindra l'idéal de son art. La sentence elle-même est ironique puisqu'elle utilise la seule arme à laquelle ne puisse résister un comédien au sommet de sa gloire : le déshonneur d'un sifflet. L'amour-propre est son « talon d'Achille » : nous sommes loin de la figure idéalisée de l'artiste proposée par George Sand.

Le pouvoir le plus efficace et le plus cruel serait ainsi celui qu'exerce le public dans son jugement : l'innocente espièglerie du page obéissant à son prince suffit à porter le coup de grâce au martyr. Baudelaire, dédaignant les simplifications, suggère une morale ambiguë : l'apothéose de l'artiste continue de témoigner de la dépendance suprême dans laquelle il se tient.

Tout ce public, si blasé et frivole qu'il pût être, subit bientôt la toute-puissante domination de l'artiste. Personne ne rêva plus de mort, de deuil, ni de supplices. Chacun s'abandonna, sans inquiétude, aux voluptés multipliées que donne la vue d'un chef-d'œuvre d'art vivant. Les explosions de la joie et de l'admiration ébranlèrent à plusieurs reprises les voûtes de l'édifice avec l'énergie d'un tonnerre continu. Le Prince lui-même, enivré, mêla ses applaudissements à ceux de sa cour.

Cependant, pour un œil clairvoyant, son ivresse, à lui, n'était pas sans mélange. Se sentait-il vaincu dans son pouvoir de despote? humilié dans son art de terrifier les cœurs et d'engourdir les esprits? frustré de ses espérances et bafoué dans ses prévisions? De telles suppositions non exactement justifiées, mais non absolument injustifiables, traversèrent mon esprit pendant que je contemplais le visage du Prince, sur lequel une pâleur nouvelle s'ajoutait sans cesse à sa pâleur habituelle, comme la neige s'ajoute à la neige. Ses lèvres se resserraient de plus en plus, et ses yeux s'éclairaient d'un feu intérieur semblable à celui de la jalousie et de la rancune, même pendant qu'il applaudissait ostensiblement les talents de son vieil ami, l'étrange bouffon, qui bouffonnait si bien la mort. À un certain moment, je vis son Altesse se pencher vers un petit page, placé derrière elle, et lui parler à l'oreille. La physionomie espiègle du joli enfant s'illumina d'un sourire; et puis il quitta vivement la loge princière comme pour s'acquitter d'une commission urgente.

Quelques minutes plus tard un coup de sifflet aigu, prolongé, interrompit Fancioulle dans un de ses meilleurs moments, et déchira à la fois les oreilles et les cœurs. Et de l'endroit de la salle d'où avait jailli cette désapprobation inattendue, un enfant se précipitait dans un corridor avec des rires étouffés.

Fancioulle secoué, réveillé dans son rêve, ferma d'abord les yeux, puis les rouvrit presque aussitôt, démesurément agrandis, ouvrit ensuite la bouche comme pour respirer convulsivement, chancela un peu en avant, un peu en arrière, et puis tomba roide mort sur les planches.

Le sifflet, rapide comme un glaive, avait-il réellement

frustré le bourreau ? Le Prince avait-il lui-même deviné toute l'homicide efficacité de sa ruse ? Il est permis d'en douter. Regretta-t-il son cher et inimitable Fancioulle ? Il est doux et légitime de le croire.

Les gentilshommes coupables avaient joui pour la dernière fois du spectacle de la comédie. Dans la même nuit ils furent effacés de la vie.

Depuis lors, plusieurs mimes, justement appréciés dans différents pays, sont venus jouer devant la cour de *** ; mais aucun d'eux n'a pu rappeler les merveilleux talents de Fancioulle, ni s'élever jusqu'à la même *faveur*.

Guillaume APOLLINAIRE (1880-1918)

Le Poète assassiné (1916)

(Poésie / Gallimard)

Dans cet ouvrage fantaisiste, le poète pastiche le style outragé d'un « homme de bien » devant la consécration excessive que la société, par l'intermédiaire des prix littéraires, accorde à la poésie. Feignant l'indignation du philistin devant ces encouragements à la littérature, Apollinaire déploie l'argumentaire transmis depuis l'Antiquité contre la perversion introduite par l'art poétique de la parole dans la cité.

Par son emphase, sa rhétorique hyperbolique déployée contre les pouvoirs prétendument délétères d'une activité pourtant souvent dédaignée pour son innocuité, l'article confine au grotesque. L'auteur que lui prête Apollinaire, savant plein d'érudition et de morgue, apparaît comme la caricature du positivisme encore victorieux au début du XXᵉ siècle.

La vraie gloire a abandonné la poésie pour la science, la philosophie, l'acrobatie, la philanthropie, la sociologie, etc. Les poètes ne sont plus bons aujourd'hui qu'à toucher de l'argent qu'ils ne gagnent point puisqu'ils ne travaillent guère et que la plupart d'entre eux (sauf les chansonniers et quelques autres) n'ont aucun talent et par conséquent aucune excuse. Pour ceux qui ont quelque don, ils sont encore plus nuisibles, car s'ils ne touchent rien, ni à rien, ils font chacun plus de bruit qu'un régiment et nous rabattent les oreilles de ce qu'ils sont maudits. Tous ces gens-là n'ont plus de raison d'être. Les prix qu'on leur décerne sont volés aux travailleurs, aux inventeurs, aux savants, aux philosophes, aux acrobates, aux philanthropes, aux sociologues, etc. Il faut que les poètes disparaissent. Lycurgue les avait bannis de la République, il faut les bannir de la terre. Sans quoi les poètes, paresseux fieffés, seront nos princes et, sans rien faire, vivront de notre travail, nous opprimeront, se moqueront de nous. En un mot, il faut se débarrasser au plus vite de la tyrannie poétique.

Si les républiques et les rois, si les nations n'y prennent garde, la race des poètes, trop privilégiée, croîtra dans de telles proportions et si rapidement qu'avant peu de temps personne ne voudra plus travailler, inventer, apprendre, raisonner, faire des choses dangereuses, remédier aux malheurs des hommes et améliorer leur sort.

Sans tarder, donc, il faut aviser et nous guérir de cette plaie poétique qui ronge l'humanité. [...]

Monde, choisis entre ta vie et la poésie; si l'on ne prend pas de mesures sérieuses contre elle, c'en est fait de la civilisation. Tu n'hésiteras point. Dès demain commencera l'ère nouvelle. La poésie n'existera plus, on brisera les lyres trop lourdes pour les vieilles inspirations. On massacrera les poètes.

Antonin ARTAUD (1896-1948)

Messages révolutionnaires (1936)

(Folio essais n° 320)

Alors qu'il se trouve sur les terres mexicaines qui lui inspi-reront son éloge de la violence sacrificielle dans Les Tarahu-maras, *Antonin Artaud revient sur l'héritage surréaliste. La révolution qui secoue alors l'Amérique latine l'invite à élucider les relations qui unissent à ses yeux poésie et révolte.*

Dans ce texte paru dans le quotidien mexicain El Nacional *le 18 août 1936, l'écrivain dramaturge vilipende avec une égale violence la soumission de l'art au matérialisme historique d'inspiration marxiste et au libéralisme économique occiden-tal. En se chargeant symboliquement de la haine de son époque, en accompagnant les soubresauts qui la traversent, l'artiste accepte d'être la victime expiatoire grâce à laquelle la société prendra conscience de ses métamorphoses souterraines. La monographie* Van Gogh le suicidé de la société *publiée en 1945 à l'occasion de la grande exposition rétrospective consacrée à Paris au peintre viendra durcir encore cette représentation.*

L'art a pour devoir social de donner issue aux angoisses de son époque. L'artiste qui n'a pas ausculté le cœur de son époque, l'artiste qui ignore qu'il est un *bouc émis-saire*, que son devoir est d'aimanter, d'attirer, de faire tomber sur ses épaules les colères errantes de l'époque pour la décharger de son mal-être psychologique, celui-là n'est pas un artiste.

Tout comme les hommes les époques ont un Incons-cient. Et *ces parties obscures de l'ombre* dont parle Shakes-peare ont aussi une vie à elles, une vie propre *qu'il faut éteindre.*

À cela servent les œuvres d'art. [...]

Or, tous les artistes ne sont pas en mesure de parvenir à cette sorte d'identification magique de leurs propres sentiments avec les fureurs collectives de l'homme.

Et toutes les époques ne sont pas en mesure d'apprécier l'importance sociale de l'artiste et cette fonction de sauvegarde qu'il exerce au profit du bien collectif. Le mépris des valeurs intellectuelles est à la racine du monde moderne. En réalité, ce mépris dissimule une profonde ignorance de la nature de ces valeurs. Mais cela, nous ne pouvons perdre nos forces à le faire comprendre à une époque qui, chez les intellectuels et les artistes, a produit en grande proportion des traîtres, et, dans le peuple, a engendré une collectivité, une masse qui ne veut pas savoir que l'esprit, c'est-à-dire l'intelligence, doit guider la marche du temps.

Chronologie

Alfred de Musset et son temps

LE 11 DÉCEMBRE 1810 naît à Paris Alfred de Musset. Son frère, de six ans son aîné, se prénomme Paul. Sa famille est de petite noblesse, ouverte à la vie intellectuelle. M. de Musset-Pathay, le père, a écrit des contes, des études historiques, des récits de voyage, une biographie de Jean-Jacques Rousseau, dont il a édité les œuvres complètes. Son grand-père maternel est aussi un lettré, ancien ami de Carmontelle dont les *Proverbes* dramatiques inspireront Musset.

1804 Premier Empire.
1805 Victoire de Napoléon Ier à Austerlitz.
1814 Abdication de Napoléon et première Restauration : Louis XVIII, frère de Louis XVI, roi de France.
1815 Retour de Napoléon : les Cent Jours. Défaite de Waterloo le 18 juin. Seconde Restauration : Louis XVIII, puis Charles X en 1824.

Alfred de Musset entre en sixième au collège Henri-IV en 1819. L'élève de philosophie entamera des études de droit puis de médecine, avant de se tourner vers les arts : la musique et la peinture.

Dans les dernières années de la Restauration, entre

1827 et 1830, Musset mène une vie de jeune bourgeois, élégant et dissipé, avec son ami Alfred Tattet. On se partage entre le punch, la bière et les filles, on va de passions en déceptions amoureuses. Musset écrit ses premiers poèmes et fréquente les salons : celui de Nodier à l'Arsenal ou le « Cénacle » de Victor Hugo. Il rencontre Sainte-Beuve, Mérimée, Vigny, Delacroix, Gautier. À la fin de 1829 paraît son premier recueil poétique, les *Contes d'Espagne et d'Italie* : scandale des classiques et surprise de ses amis romantiques face à l'ironie et à la désinvolture qui s'y manifestent. L'année suivante, sa pièce, pourtant reçue au théâtre des Nouveautés, *La Quittance du Diable*, ne sera pas jouée. La grande affaire du théâtre, en février 1830, est la création d'*Hernani* de Victor Hugo à la Comédie-Française, occasion de la célèbre bataille entre classiques et romantiques.

La famille de Musset accueille favorablement le nouveau régime. En octobre, Musset publie « Les Vœux stériles » dans *La Revue de Paris* : le poème fait le constat du divorce entre la poésie, l'histoire et la politique. En décembre, sa pièce *La Nuit vénitienne* échoue totalement au théâtre de l'Odéon. Divorce entre l'idéal théâtral et l'attente du public : Musset se tiendra éloigné de la scène jusqu'en 1847 et destinera son théâtre à la seule lecture.

D'octobre 1830 à juin 1831, Musset collabore au quotidien *Le Temps* où il tient notamment le feuilleton des « petits théâtres ».

1821 Mort de Napoléon à Sainte-Hélène.
27, 28, 29 juillet 1830 les « Trois Glorieuses », Révolution de Juillet. La branche d'Orléans remplace la branche des Bourbons sur le trône de France : Louis-Philippe, roi des Français. Monarchie de Juillet.

> 1831 Révoltes populaires à Paris et à Lyon (révolte des
> Canuts).
> 1832 Émeutes à Paris lors de l'enterrement du géné-
> ral républicain Lamarque.

L'épidémie de choléra de 1832 emporte le père de Musset. Très affecté, le poète est désormais voué à trouver son indépendance dans le métier d'écrivain. S'il échoue, ce sera la carrière militaire. À la fin de l'année, paraît *Un spectacle dans un fauteuil I (Poésie)*, comprenant *La Coupe et les lèvres*, *À quoi rêvent les jeunes filles* et *Namouna*. Cette même année, une jeune femme affirmant sa liberté, Aurore Dupin, a publié deux romans sous le pseudonyme de George Sand, *Indiana* et *Valentine*. Elle a signé un contrat avec Buloz, directeur de *La Revue des Deux Mondes*. C'est à cette revue que Musset commence à collaborer en mars 1833. Musset lui cède par contrat l'exclusivité de sa production future : paraissent déjà *André del Sarto*, *Les Caprices de Marianne*. Lors d'un dîner offert par Buloz à ses collaborateurs, Musset et George Sand se rencontrent : « Mon cher Georges *(sic)*, j'ai quelque chose de bête et de ridicule à vous dire. [...] Je suis amoureux de vous », lui écrit Musset. Quelques semaines plus tard, au cours d'une promenade avec George Sand à Fontainebleau, Musset est victime d'une crise hallucinatoire de dédoublement. Jusqu'à l'automne, il compose *Rolla* et ses pièces *Fantasio* et *Lorenzaccio*. En décembre 1833, le couple part pour l'Italie. À Venise, Musset tombe gravement malade, la fièvre le fait délirer. George Sand le soigne avec dévouement tout en nouant une liaison avec le docteur Pagello appelé au chevet du malade. Première séparation des amants : Musset, guéri, rentre seul en France.

En juillet paraît *On ne badine pas avec l'amour* dans *La*

Revue des Deux Mondes. En août, *Un spectacle dans un fauteuil II (Prose)* est publié en deux volumes : il comprend le drame inédit *Lorenzaccio, Les Caprices de Marianne, André del Sarto, Fantasio, On ne badine pas avec l'amour, La Nuit vénitienne.* De retrouvailles et de lettres enflammées en ruptures, le couple Sand-Musset évolue vers la séparation définitive, consommée en mars 1835. Cette même année, paraissent dans *La Revue des Deux Mondes* : « La Nuit de mai », *La Quenouille de Barberine, Le Chandelier,* « La Nuit de décembre ».

Au début de l'année 1836, Musset publie *La Confession d'un enfant du siècle,* autopsie d'une « maladie morale abominable » par le biais d'une fiction autobiographique. Paraissent aussi le proverbe *Il ne faut jurer de rien,* le poème « La Nuit d'août », *Les Lettres de Dupuis et Cotonet.* Musset rencontre en mars 1837 Aimée d'Alton et entame une liaison de deux ans et demi avec celle qu'il refusera d'épouser — et qu'épousera plus tard son frère Paul. Ses publications dans *La Revue des Deux Mondes* se poursuivent (le proverbe *Un caprice,* le poème « La Nuit d'octobre »). Musset écrit des œuvres alimentaires en entamant une série de nouvelles (*Emmeline, Les Deux Maîtresses*). En octobre 1838, il est nommé conservateur de la bibliothèque du ministère de l'Intérieur. En proie aux difficultés financières et à l'apathie, Musset espère revenir à la scène : « Je suis enragé de théâtre », écrit-il à sa maîtresse. Le théâtre de la Renaissance vient d'ouvrir avec la création de *Ruy Blas* de Victor Hugo. Mais Musset s'enthousiasme pour la jeune actrice Rachel qui a débuté à la Comédie-Française dans *Bajazet* de Racine et *Horace* de Corneille. Dans un article, « De la tragédie », il propose une réforme dramatique opérant un retour vers la sobriété de la tragédie classique. Musset ébauchera en 1839 une tragédie historique destinée à Rachel, *La Servante du roi*, sans parvenir à accomplir son projet théâtral. C'est François Ponsard qui fera applaudir le retour de la tragédie en créant *Lucrèce* en 1843. Au fil de ces années, Musset est souvent malade, affaibli par l'alcool, dépressif : « J'ai perdu jusqu'à la fierté / Qui faisait croire à mon génie » (« Tristesse », 1840). Il continue à publier dans *La Revue des Deux Mondes* des poèmes, des contes, des nouvelles ou des proverbes (*Il faut qu'une porte soit ouverte ou fermée*, 1845).

Le 27 novembre 1847, après avoir été jouée à Saint-Pétersbourg, la comédie-proverbe *Un caprice* est créée à la Comédie-Française, dont Buloz est administrateur. Musset cesse d'être persuadé qu'il ne peut « se tenir debout sur les planches glissantes du théâtre ». Théophile Gautier, auteur de la formule, annonce, après *Un caprice*, la représentation des pièces de Musset jusque-là réservées à la lecture, « de quoi rajeunir le théâtre pour dix ans ». Musset écrit des pièces nouvelles, pliées aux règles de la scène, et remanie d'anciennes œuvres pour les représenter : *Il faut qu'une porte soit ouverte ou fermée*, *Il ne faut jurer de rien*, *Le Chandelier*, *André del Sarto* sont joués en 1848.

La révolution entraîne la révocation de Musset de ses fonctions de bibliothécaire. Ses œuvres théâtrales continuent à connaître le succès, en particulier ses comédies-proverbes régulièrement données au Théâtre-Français, comme *On ne saurait penser à tout*, d'après Carmontelle (1849). Musset a une liaison tourmentée avec l'actrice Mme Allan Despréaux qui a créé *Un caprice*.

1834	Loi sur les associations. Émeutes à Paris et en province. Répression des mouvements ouvriers et républicains. Massacre de la rue Transnonain.
1835	Attentat manqué de Fieschi contre Louis-Philippe. Lois répressives contre les républicains.

Février 1848 Révolution. Instauration de la Deuxième République. Louis-Napoléon Bonaparte président.

2 décembre 1851 Coup d'État de Louis-Napoléon Bonaparte.

1852 Proclamation du Second Empire. Louis-Napoléon Bonaparte devient Napoléon III.

Après deux échecs, Musset est élu à l'Académie française le 12 février 1852. La même année, paraissent les volumes des *Premières poésies (1829-1835)* puis des *Poésies nouvelles (1836-1852)*, somme de la création poétique de Musset dans leur classement définitif. L'édition complète de ses *Comédies et proverbes*, contenant les textes corrigés pour la scène, paraît en 1853. Le recueil de ses *Contes* est publié en 1854. Musset a alors retrouvé un poste de bibliothécaire au ministère de l'Instruction publique. Épuisé, il n'écrit presque plus, boit et joue aux échecs. Il meurt le 2 mai 1857 : « Dormir !... enfin je vais dormir ! »

Deux ans plus tard, George Sand publie *Elle et Lui*, version romancée de sa liaison avec Musset. Paul de Musset donnera sa propre version des amours de son frère avec George Sand, intitulée *Lui et Elle*. Le théâtre de Musset gagne progressivement les scènes après sa mort : *On ne badine pas avec l'amour* et *Fantasio*, remaniés par Paul, sont créés à la Comédie-Française, respectivement en 1861 et 1865. L'édition des *Œuvres complètes* de Musset par son frère paraît en dix volumes en 1865 et 1866.

Le 3 décembre 1896 a lieu la première de *Lorenzaccio*, largement remanié par Armand d'Artois, au théâtre de la Renaissance. Sarah Bernhardt joue le rôle-titre.

Références biographiques

Chronologie établie par Simon JEUNE dans son édition du *Théâtre complet* d'Alfred de Musset, Paris, Gallimard, collection « La Pléiade », 1990, p. XXX-VII-L

Franck LESTRINGANT, *Musset*, Paris, Flammarion, 1999

Paul de MUSSET a publié une biographie de son frère en 1877 : à lire avec un œil critique, comme un témoignage hagiographique et comme l'élaboration subjective d'une figure de l'artiste vingt ans après sa disparition. Cette biographie est insérée dans les *Œuvres complètes* de Musset, Paris, Le Seuil, 1963, p. 15-45

Sur la liaison entre MUSSET et George SAND : *Le Roman de Venise*, composé et annoté par José-Luis Diaz, Actes Sud, Babel, collection « Les Épistolaires », 1999

Éléments pour une fiche de lecture

Regardez l'affiche

- Le cadrage et la composition des éléments obéissent aux contraintes de format de l'affiche. En quoi la nature de cette illustration se rapproche-t-elle d'un autre genre pictural, plus ancien que celui-ci ?

- La quiétude du personnage de Lorenzaccio, sous les traits de Sarah Bernhardt, plongé dans ses pensées, forme un contraste avec l'agressivité du dragon. Décrivez l'attitude du protagoniste : allure générale, posture, expression de son visage, position de ses mains, etc.

- Comparez cette affiche avec d'autres illustrations réalisées par Mucha des différents personnages interprétés par Sarah Bernhardt.

- Regardez attentivement au bas de l'affiche, au-dessus du bandeau de texte. Quelle fonction peut avoir la créature à forme humaine s'enroulant autour de la dague ? Comment qualifieriez-vous l'expression de son visage ?

- Sa position rappelle celle du dragon au-dessus de la tête de Sarah Bernhardt — dragon qui représente le duc Alexandre. Cette créature vous paraît-elle correspondre à un personnage de la pièce ?

Le paratexte

- Quelle différence le titre de George Sand, *Une conspiration en 1537*, et celui d'Alfred de Musset, *Lorenzaccio* entraîne-t-il dans l'horizon d'attente du lecteur ?
- Choisissez un tableau comme illustration de la couverture du livre et justifiez votre choix.

Résumé(s) : les trois intrigues entrelacées

- Relisez les trois premières scènes de la pièce et relevez les éléments contribuant à la mise en place des trois actions entrelacées dans la pièce : autour de Lorenzo, autour des Cibo, autour des Strozzi.
- Résumez en quelques lignes l'intrigue Lorenzo, l'intrigue Cibo, l'intrigue Strozzi.
- Quels sont les principaux points de croisement de ces trois intrigues au fil de la pièce ?

Les personnages

- Le personnage principal et la crise identitaire : relevez tout ce qui rend l'identité de ce personnage insaisissable (nom et surnoms, origines, figures, postures, projets). En quoi Lorenzo est-il un personnage *essentiellement* théâtral ?
- Retrouvez le nom des six personnages correspondant aux descriptions suivantes : l'intérêt religieux et l'ambition politique mêlés ; la noblesse morale, l'humanisme et l'irrésolution face à l'action ; le choix de l'adultère par idéal politique ; l'ardeur et le courage dans l'esprit de revanche ; la pureté violée et assassinée ; les ambiguïtés de l'idéalisme artistique.
- Retrait, compromission, participation désespérée :

retrouvez et classez les personnages du drame illustrant ces modes de relation à l'Histoire.

- Bourgeois, orfèvre, marchand, enfants, soldats, écoliers : comment les comparses sont-ils caractérisés par leur langue ? Relevez quelques exemples pittoresques de cette langue théâtrale en liberté.

Les objets

- Parmi les accessoires requis par la représentation de *Lorenzaccio* figurent de nombreuses armes offensives ou défensives (la cotte de mailles). Relevez-les en précisant leur propriétaire et leur fonction utilitaire. Montrez que ces armes ont aussi une fonction référentielle liée à la représentation de l'histoire. Dans le texte de Musset, quels symboles ces armes acquièrent-elles ? En quoi produisent-elles aussi des jeux de scène ?

La représentation du temps

- Établissez la chronologie interne de l'acte IV en repérant particulièrement les scènes se déroulant simultanément en des lieux différents.
- Tout change pour que rien ne change : en quoi le temps représenté dans la pièce illustre-t-il ce constat désabusé ?

L'espace représenté

- Relevez sous forme de tableau la succession des lieux au fil des tableaux scandant la pièce. Analysez l'alternance entre les divers lieux de la cité, espaces fermés ou ouverts, publics ou privés.
- Montrez que l'ambition de Musset, dans ce « théâtre

dans un fauteuil », n'est pas la multiplication des décors spectaculaires, mais plutôt le déploiement complet d'un espace social et politique.

Vers l'interprétation

• Relevez et classez au fil de la pièce les métaphores et les apostrophes faisant de la ville de Florence un personnage à part entière du drame. Quelle est l'ambiguïté de ce « personnage » ?

Lectures complémentaires : Musset et la figure du double

• Le dédoublement du moi est récurrent dans l'œuvre de Musset. Retrouvez les avatars de cette figure du double en lisant la pièce *Les Caprices de Marianne* (1833) et le poème « La nuit de décembre » (1835).

Sujet de réflexion

• « Words, words, words », s'exclame Hamlet dans la tragédie de Shakespeare (II, II). « Ah ! les mots, les mots, les éternelles paroles ! » s'exclame Lorenzo (IV, 9). En quoi *Lorenzaccio* est-il un drame de la parole ?

Collège

La Bible (textes choisis) (49)

Fabliaux (textes choisis) (37)

Henri BARBUSSE, *Le Feu* (91)

CHRÉTIEN DE TROYES, *Le Chevalier au Lion* (2)

COLETTE, *Dialogues de bêtes* (36)

Pierre CORNEILLE, *Le Cid* (13)

Gustave FLAUBERT, *Trois contes* (6)

Wilhelm et Jacob GRIMM, *Contes* (textes choisis) (72)

HOMÈRE, *Odyssée* (18)

Victor HUGO, *Claude Gueux* suivi de *La Chute* (15)

Thierry JONQUET, *La vie de ma mère !* (106)

Joseph KESSEL, *Le Lion* (30)

Jean de LA FONTAINE, *Fables* (34)

J. M. G. LE CLÉZIO, *Mondo et autres histoires* (67)

Gaston LEROUX, *Le Mystère de la chambre jaune* (4)

Guy de MAUPASSANT, *12 contes réalistes* (42)

MOLIÈRE, *L'Avare* (41)

MOLIÈRE, *Le Médecin malgré lui* (20)

MOLIÈRE, *Les Fourberies de Scapin* (3)

MOLIÈRE, *Trois courtes pièces* (26)

Georges ORWELL, *La Ferme des animaux* (94)

Louis PERGAUD, *La Guerre des boutons* (65)

Charles PERRAULT, *Contes de ma Mère l'Oye* (9)

Jacques PRÉVERT, *Paroles* (29)

Jules RENARD, *Poil de Carotte* (66)

John STEINBECK, *Des souris et des hommes* (47)

Robert Louis STEVENSON, *L'Étrange Cas du docteur Jekyll et de M. Hyde* (53)

Michel TOURNIER, *Vendredi ou La Vie sauvage* (44)

Fred UHLMAN, *L'Ami retrouvé* (50)

Jules VALLÈS, *L'Enfant* (12)

Paul VERLAINE, *Fêtes galantes* (38)

Jules VERNE, *Le Tour du monde en 80 jours* (32)

Oscar WILDE, *Le Fantôme de Canterville* (22)

Marguerite YOURCENAR, *Comment Wang-Fô fut sauvé et autres nouvelles* (100)

Lycée

Série Classiques

Écrire sur la peinture (anthologie) (68)

La poésie baroque (anthologie) (14)

Le sonnet (anthologie) (46)

Honoré de BALZAC, *La Peau de chagrin* (11)

René BARJAVEL, *Ravage* (95)

Charles BAUDELAIRE, *Les Fleurs du mal* (17)

André BRETON, *Nadja* (107)

Albert CAMUS, *L'Étranger* (40)

Louis-Ferdinand CÉLINE, *Voyage au bout de la nuit* (60)

René CHAR, *Feuillets d'Hypnos* (99)

François René de CHATEAUBRIAND, *Mémoires d'outre-tombe* (livres 9 à 12) (118)

Albert COHEN, *Le Livre de ma mère* (45)

Benjamin CONSTANT, *Adolphe* (92)

Pierre CORNEILLE, *Le Menteur* (57)

Marguerite DURAS, *Un barrage contre le Pacifique* (51)

Pour plus d'informations,
consultez le catalogue à l'adresse suivante :
http ://www.gallimard.fr